MUSEO DE NAVARRA

MUSEO
DE
NAVARRA

Gobierno de Navarra
Departamento de Educación y Cultura

Título: Museo de Navarra

Dirección: M.ª Ángeles Mezquíriz

Textos: *Introducción,* M.ª Ángeles Mezquíriz

            Prehistoria y Romanización, Ignacio Barandiarán

                                M.ª Ángeles Mezquíriz

            Edad Media, M.ª Carmen Lacarra

            Renacimiento y Barroco, Concepción García Gaínza

            Iglesia del antiguo Hospital, Pedro L. Echeverría Goñi

            Siglos XIX y XX, María del Mar Lozano Bartolozzi

Fichas técnicas: M.ª Ángeles Mezquíriz, Inés Tabar, Camino Paredes
                  Mercedes Jover, Ana Elena Redín, Carmen Valdés

Revisión 4.ª edición: Ana Elena Redín

Fotografías: Larrión/Pimoulier
              Archivo del Museo de Navarra

4.ª edición 1998

© GOBIERNO DE NAVARRA. Departamento de Educación y Cultura. 1989

HTTP//www.cf.navarra.es

museo@.cf.navarra.es

Fotomecánica: ZIUR NAVARRA

Imprime: CASTUERA

ISBN: 84-235-1192-8

D.L. NA. 2566 - 1998

ÍNDICE

INTRODUCCIÓN

M.ª ÁNGELES MEZQUÍRIZ IRUJO

ORIGEN Y NATURALEZA
DE LAS COLECCIONES

E N 1860 FUE CREADA la Comisión de Monumentos Históricos y Artísticos de Navarra. El reglamento que el Gobierno de la Nación aprobó como marco legal para estas Comisiones Provinciales especificaba, en el artículo 17 del capítulo 1, cuáles eran sus atribuciones, entre las que destacan "el cuidado, mejora, aumento o creación de los museos provinciales de Bellas Artes; la dirección de excavaciones arqueológicas, la creación, aumento y mejora de los museos de antigüedades y la adquisición de cuadros, estatuas, lápidas, relieves, medallones y cualquiera otros objetos que por su mérito o importancia artística merezcan figurar, tanto en Museos de Bellas Artes, como en los Arqueológicos".

Hay que atribuir, por tanto, el inicio de las colecciones que hoy constituyen el Museo de Navarra a la citada Comisión de Monumentos que desde su creación se constituyó en salvaguarda de nuestro patrimonio mueble, recogiendo los materiales dispersos por Navarra y haciéndose cargo de los hallazgos fortuitos que tenían lugar en el subsuelo. Todo ello quedó reflejado en el Boletín de la Comisión de Monumentos y en las actas de sus reuniones.

En esta área hay que destacar los nombres de Campión, Altadill, Ansoleaga e Iturralde y Suit, y su actuación no sólo se limita a la recogida de objetos, sino que estudian e investigan el territorio. Debemos recordar la labor del último en el campo dolménico o la de Ansoleaga en el cementerio visigodo de Pamplona.

Con todos los materiales reunidos, el 28 de junio de 1910, fue inaugurado en el edificio de la Cámara de Comptos de Pamplona, el Museo

Artístico-Arqueológico de Navarra, que habría de potenciar, a partir de ese momento, el acopio de obras. A esta época corresponde la recuperación de la prensa de volante y troqueles de acuñación de la antigua Ceca de Pamplona, los mosaicos de Teseo, murallas e hipocampo que aparecieron en la ciudad, así como los restos arquitectónicos romanos, las sillas de montar góticas de Azagra, el sepulcro gótico de Tudela, etc., por citar algunas piezas más sobresalientes.

Al margen de la Comisión, el P. Escalada, desde Javier, realizó una búsqueda incansable de restos arqueológicos en la zona que, custodiados en el Castillo hasta época reciente, han sido donados generosamente al Museo de Navarra, viniendo a completar la colección epigráfica.

Con motivo de la guerra civil quedan interrumpidas las actividades que se verían prontamente reanudadas en la postguerra. Con el hecho trascendental de la creación en 1940 de la Institución Príncipe de Viana, cuya finalidad principal era la de proteger, restaurar e investigar el Patrimonio Artístico y Arqueológico de Navarra.

Su primer secretario general y organizador fue José M.ª Lacarra, que en 1942 hubo de dejarlo para incorporarse a su cátedra de Historia Medieval de la Universidad de Zaragoza, siendo sustituido por J. E. Uranga.

En este período hay que destacar la colaboración de Cayetano de Mergelina, catedrático de la Universidad de Valladolid, que redactó una "Cartilla" arqueológica para distribuir por Navarra a fin de recoger y proteger los restos arqueológicos.

Hay que señalar especialmente la aportación de Blas Taracena y Luis Vázquez de Parga, director y subdirector respectivamente del Museo Arqueológico Nacional, que durante casi diez años realizaron excavaciones y prospecciones en Navarra, dando como fruto no sólo sus importantes publicaciones, sino un cúmulo de materiales (mosaicos, cerámicas, etc...) que habían de constituir la mayor parte de los fondos arqueológicos del Museo. También la intervención, a partir de 1952, de Juan Maluquer de Motes aportaría numerosas evidencias arqueológicas, continuándose, con algún paréntesis, hasta época reciente.

En este apartado de lo que ha supuesto la actividad de la Institución Príncipe de Viana en relación al origen de las colecciones del Museo, es justo destacar la figura de José Esteban Uranga, secretario general de dicha institución y finalmente director, que en el largo período que va de 1942 a 1970 fue coordinador e impulsor de todas las actividades de la Institución Príncipe de Viana, salvando y rescatando, con su intervención personal, numerosos bienes culturales que la desidia o la codicia hubieran hecho desaparecer y que hoy forman parte de los fondos del Museo de Navarra.

Corresponden a esta época el ingreso en el Museo de los mosaicos de

Liédena, de Ramalete (Tudela), la mayor parte de la colección epigráfica, los capiteles románicos de la Catedral de Pamplona, los relieves de Villatuerta, así como la importante colección de pinturas góticas murales de Gallipienzo, Olite, Artajona, Olleta, Artaiz, Pamplona, donadas por el Obispado y las del siglo XVI del Palacio de Óriz, donación de la familia Ferrer.

Finalmente, desde la creación del Museo hasta hoy, hemos sido muchos los que con nuestro trabajo e ilusión hemos contribuido al incremento de las colecciones, unos desde la dirección del propio Museo, otros con sus investigaciones, colaboraciones y donaciones. Entre estos últimos citaremos por su importancia el legado de la familia Felipe, consistente en un gran número de piezas de las artes decorativas del siglo XIX.

HISTORIA DEL MUSEO E INSTALACIONES

El Museo situado en el edificio de la Cámara de Comptos se había llegado a convertir en un almacén, por la acumulación de materiales recogidos. Era evidente la necesidad de un Museo con capacidad suficiente para albergar todo el patrimonio conservado. Para ello se preparó el edificio que fue antiguo Hospital de Nuestra Señora de la Misericordia, contiguo al lienzo de las murallas.

Del edificio primitivo quedaba solamente la fachada plateresca obra de Juan de Villarreal, en la que figura la fecha de ejecución: 1556. Este edificio siguió siendo hospital civil hasta 1925; habiendo sufrido toda clase de intervenciones, añadidos y cambios. Su adecuación como Museo fue encargada a José Yárnoz Larrosa, arquitecto de la Institución Príncipe de Viana, que en 1950 añadió un nuevo cuerpo, porticado en la planta baja, que incluía la escalera de acceso a las distintas plantas.

El Museo de Navarra fue inaugurado con veintidós salas el 24 de junio de 1956, dirigiendo su instalación Joaquín M.ª de Navascués. En esta fecha publicamos la primera guía-catálogo, en la que además de la explicación detallada de las piezas expuestas, se incluían planos de situación, mapas de procedencia, así como índices bibliográfico, topográfico y cultural.

A partir de entonces fueron añadiéndose salas en años sucesivos; así, en 1958 se abriría la Sala dedicada a la arqueología en Pamplona en la que, además de una maqueta de las excavaciones del arcedianato, se instaló una secuencia estratigráfica que suponía una novedad museística en aquel momento. También se montaban las salas XXIV y XXV con las pinturas murales del siglo XV, procedentes de Olleta.

En 1959 se instaló el Salón de Actos y la Sala de Exposiciones, donde tendrían lugar posteriormente acontecimientos artísticos de sumo interés: exposiciones, conciertos, conferencias. En el año 1960 se realizó el montaje de la sala XXIII, dedicada a las pinturas murales de Artaiz (siglos XIII y XIV).

En 1963, agotada la primera edición de la guía, se publicaba una segunda en la que se incluían las siete nuevas salas abiertas al público, así como los objetos ingresados, que habían sido instalados en las salas ya existentes. Entre 1964 y 1966 se instalaron las salas XXVII y XXIX, dedicadas a la pintura en tabla de los siglos XV y XVI así como la sala XXX, dedicada a la orfebrería y eboraria, con una pieza singular, cual es la arqueta hispanomusulmana de marfil procedente de Leire.

También en este período se abrió la cuarta planta del Museo con la sala XXXII, dedicada a cobres holandeses del siglo XVII, y XXXIII, a pintura del siglo XVII y XVIII, así como la XXIV, dedicada al retrato del Marqués de San Adrián, pintado por Goya, provista de una serie de diapositivas a gran tamaño para observar los detalles de la pintura sin acercarse a ella, dado que lo impedía el sistema electrónico de protección.

Todas las salas citadas fueron inauguradas oficialmente el 5 de julio de 1967. Poco después, estas nuevas instalaciones serían recogidas en la tercera edición de la guía del Museo, editada en 1969. En ella se incluían fotografías en color de las que carecían las dos anteriores. La cuarta edición se realizó en 1978.

Las últimas salas abiertas al público fueron la de Numismática, inaugurada el 4 de noviembre de 1975, impartiendo con este motivo una conferencia el profesor Azcárate; y, finalmente, el 18 de mayo de 1982 se inauguraron, coincidiendo con el Día lnternacional de los Museos, las salas XXXV - XXXVI - XXXVII, dedicadas a albergar el legado de la familia Felipe Goicoechea, consistente en cuadros, esculturas, muebles y elementos de las artes decorativas del siglo XIX.

La antigua iglesia del Hospital forma también parte del Museo. Su edificación fue finalizada a mediados del siglo XVI:, financiada por Don Ramiro de Goñi, arcediano de la Catedral. Está formada por nave única y crucero, con dos pequeñas capillas cuadradas. La bóveda es estrellada con terceletes que apean en ménsulas.

En esta iglesia se conservan sillas de coro de la Catedral, obra renacentista de Esteban de Obray, dos retablos platerescos dedicados a San Antón y Santo Domingo con las armas de Goñi, el fundador. También se halla en ella un hermoso retablo renacentista procedente de Burlada que fue pintado en 1530 por Juan del Bosque y finalmente un retablo barroco, rococó, del siglo XVIII, dorado, con talla de madera policromada, procedente del Convento del Carmen Calzado.

Durante el largo período transcurrido desde su inauguración hasta la reapertura en 1990, el Museo de Navarra ha sido un centro cultural de indudable prestigio, considerado como uno de los mejores museos provinciales, tanto por sus instalaciones como por la actividad que en él se ha desarrollado, para el cumplimiento de las funciones que le son específicas: conservación, investigación y comunicación a la sociedad.

La conservación supone un detenido trabajo de limpieza, consolidación y tratamiento que garantice la estabilidad de las piezas y su mantenimiento a lo largo del tiempo. Para ello, el Museo de Navarra ha contado desde su comienzo con talleres de restauración artística y arqueológica, así como laboratorio y archivo fotográfico. En relación también con la conservación y protección de sus fondos, en 1978 se instaló un complejo sistema de seguridad electrónico contra robo e incendio, consistente en circuito cerrado de televisión, protección volumétrica por ultrasonidos, barreras infrarrojas, detectores de vibración de vitrinas, detectores de suspensión para determinados cuadros y alarma de incendio por detectores de ionización. El Museo de Navarra fue uno de los primeros de España en realizar dichas instalaciones.

Respecto a la investigación, las colecciones han estado abiertas al estudio de investigadores y especialistas. Asimismo, el personal facultativo del Museo realiza tareas investigadoras reflejadas en sus numerosas publicaciones. Podemos decir que todas las colecciones y piezas importantes del Museo de Navarra en lo referente a Bellas Artes, están estudiadas y publicadas. Del mismo modo se ha mantenido una constante investigación de los fondos arqueológicos, enriquecidos anualmente por las campañas de excavaciones. Ello ha dado lugar a monografías, artículos y comunicaciones en congresos de ámbito nacional e internacional.

La investigación afecta a todas las actividades del Museo, desde la realización de excavaciones arqueológicas, confección de inventarios y análisis de objetos, así como estudios sobre la respuesta del público.

Dentro de este apartado hay que incluir la existencia de una biblioteca pública, especializada en temas de Arte y Arqueología, con 12.000 volúmenes, así como 180 revistas españolas y 136 extranjeras.

Finalmente en cuanto a la actividad didáctica, el Museo ha facilitado una serie de unidades sobre piezas representativas, en las que se contiene una clara vertiente informativa. Se ha tratado de hacer comprender el mensaje de la pieza arqueológica o artística, enriqueciendo los conocimientos históricos del visitante. Se han ofrecido también audiovisuales que tratan de explicar los variados aspectos de distintas épocas de la cultura. La finalidad de toda esta actividad es enseñar a ver, desarrollar la capacidad de percepción y las posibilidades de interrogar a los objetos del Museo.

El Museo de Navarra ha llevado a cabo, también desde su apertura, numerosas exposiciones temporales, cursos para profesores, simposiums, congresos y conferencias.

ACTUALES INSTALACIONES

Dentro de esta incesante actividad de nuevas instalaciones y actualización de las existentes, en 1982 se iniciaron las obras destinadas a trasladar las Salas de Conferencias y Exposiciones a la planta baja, por razones de seguridad y para facilitar el acceso al público. Con este motivo, se puso de manifiesto el mal estado de la estructura del siglo XVII del edificio del Museo, determinándose la conveniencia de cambiar los forjados para sanearlo de modo definitivo. Ya en el año 1978 se había efectuado la sustitución de las estructuras de madera de la cubierta y del soporte del piso de la planta cuarta por forjados de hormigón armado, quedando los techos de la planta baja, primera y segunda con las vigas de madera originales.

El 5 de marzo de 1985 comenzaron las obras de cambio forjados, con proyecto del arquitecto Javier Lahuerta, que se llevaron a cabo durante todo un año, incluyendo la construcción de una nueva escalera e instalando ascensor y montacargas, para facilitar el manejo de los materiales hasta el almacén y talleres, así como el acceso a minusválidos.

Una vez sustituidos los forjados del edificio del Museo y planteada la remodelación total, se realizó el encargo de su proyecto a los arquitectos Jordi Garcés y Enric Soria. En el mes de octubre de 1986, el proyecto quedó terminado, proponiéndose una completa transformación del Museo de Navarra.

En la estructura actual quedan separados perfectamente el acceso del público a las áreas de exposición permanente, conferencias o exposiciones temporales, de la zona dedicada a la parte logística del Museo sin que se interfieran, en beneficio de la seguridad y el trabajo. Esto se ha conseguido con el cubrimiento del patio central que constituye ahora un amplio centro de recepción, control e información del visitante, siendo asimismo la zona de distribución a las distintas áreas del Museo, estableciéndose un claro sistema de circulación.

Debajo de este vestíbulo, se ha habilitado un sótano-almacén de arqueología. También, bajo el patio de los mosaicos del peristilo de Liédena, en zona de sótano, se ha instalado la sala de Prehistoria que acoge desde las evidencias de los primeros pobladores paleolíticos hasta la Edad del Hierro.

El antiguo porche del patio queda relacionado con el vestíbulo y se prolonga en una galería que da acceso al exterior, con un jardín rodeado de mosaicos y otros restos arqueológicos que pueden soportar la intemperie. La planta baja se ha dedicado exclusivamente a exposiciones temporales, sala de conferencias y otras instalaciones relacionadas directamente con el público: guardarropa, venta de publicaciones, portería.

Desde el vestíbulo, se entra propiamente a la zona del Museo a través de un espacio distribuidor donde, al fondo, se ha colocado un mosaico procedente del Soto de Ramalete (Tudela), que tiene como emblema central una gran crátera sostenida por dos *putti* alados y sobre cuyo borde se inclinan dos palomas. Su significado en época romana era de augurio favorable.

Desde este distribuidor, puede accederse a la zona de exposiciones temporales y a la escalera y montacargas que dan acceso a las salas de exposición permanente. Para dicha exposición permanente, se dedican las cuatro plantas de la crujía oeste del edificio, donde se distribuyen las colecciones cronológicamente de abajo a arriba y en circuitos semejantes en todas las plantas.

En la primera planta, se exponen los objetos correspondientes a época romana, visigoda, musulmana y románica y la gran sala de Oliver, con las pinturas murales de la Catedral de Pamplona y Artajona. En la segunda planta, se expone la importante colección de pinturas murales góticas y las obras correspondientes al Renacimiento. También se ha instalado en la segunda planta una sala de Orfebrería con piezas de época medieval y renacentista. En la tercera planta, se presentan las obras artísticas correspondientes a los siglos XVII, XVIII y XIX y la orfebrería barroca. En las últimas salas de esta planta comienza la exposición de los pintores navarros de los siglos XIX-XX, que finalizará en la cuarta planta del Museo.

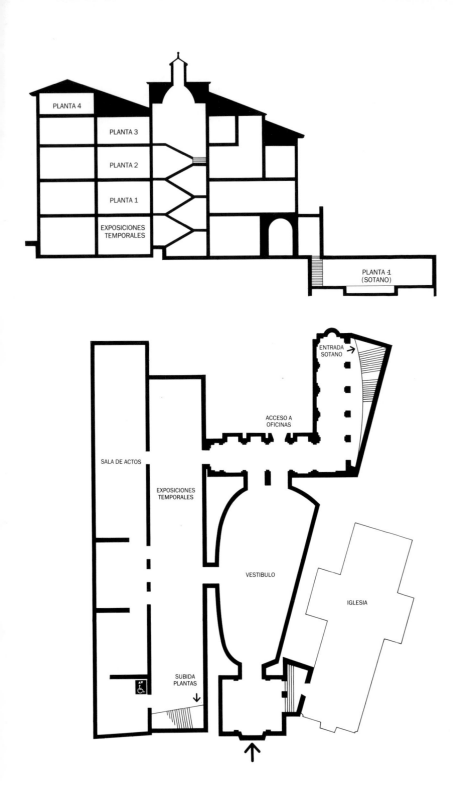

PLANTA 4

PLANTA 3

PLANTA 2

PLANTA 1

EXPOSICIONES
TEMPORALES

PLANTA -1
(SOTANO)

ENTRADA
SOTANO

ACCESO A
OFICINAS

SALA DE ACTOS

EXPOSICIONES
TEMPORALES

VESTIBULO

IGLESIA

SUBIDA
PLANTAS

PREHISTORIA

ROMANO

Planta -1

PREHISTORIA
(Vitrinas)
ROMANO
(Ramalete)

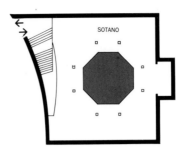

Planta 1

Sala 1.1
ROMANO

Sala 1.2
ROMANO

Sala 1.3
ROMANO

Sala 1.4
ROMANO

Sala 1.5
ROMANO
(Pamplona)

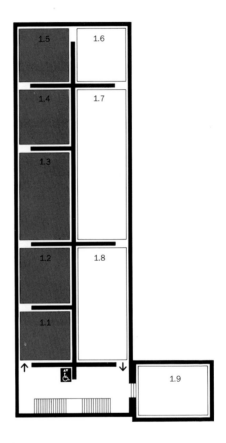

NAVARRA EN LA PREHISTORIA

IGNACIO BARANDIARÁN

1. LOS CAZADORES DEL PALEOLÍTICO Y DEL EPIPALEOLÍTICO

E N LOS ÚLTIMOS quince años se ha intensificado notablemente el conocimiento de estas primeras etapas del poblamiento de Navarra: se han descubierto localizaciones de interés (en Urbasa, Olite, Alaiz...) y se han excavado varios yacimientos estratificados (Berroberría, Zatoya, Abauntz, Portugain, Aizpea...). El recurso a disciplinas complementarias de la Arqueología está permitiendo reconstruir en parte las condiciones ambientales (clima, fauna, flora) en que aquellas primeras formas culturales se desarrollaron.

Se han identificado restos de hace unos 150.000 a 100.000 años de antigüedad en una decena de sitios; son utensilios tallados en piedras duras (cuarcita, sílex, ofita) con formas de "bifaces" o "raederas", propios del Paleolítico inferior o de su inmediata tradición en el Paleolítico medio. Es el caso de varios lotes encontrados en Urbasa (Aranzaduia, Bioiza...) y de piezas aisladas en las terrazas del Ega (Zúñiga, Estella) y del Irati (Lumbier) y de otros sitios: siempre al aire libre, fuera de contexto estratigráfico.

Una explotación de cantera destruyó hace algunos años en Coscobilo (Olazagutía) lo que era un yacimiento muy importante en cueva. Bastantes elementos se recuperaron de escombreras (fauna e industrias líticas): se pueden atribuir al Paleolítico medio y a la primera mitad del Paleolítico superior, destacando un lote numeroso de puntas talladas con retoque plano de estilo Solutrense. En Mugarduia (Urbasa) se ha excavado un taller de elaboración de utensilios de sílex; debió funcionar en el primer tercio del Paleolítico superior.

Al acabar la última glaciación (Würm IV o Tardiglaciar, *circa* 14.500 a 8.200 a.C.) se desarrolla la cultura Magdaleniense, conocida bien en las excavaciones de las cuevas de Berroberría (Urdax), Zatoya (Abaurrea) y

Abauntz (Arraiz). Sus gentes vivían de la caza (ciervos, caballos, renos –en Abauntz y Zatoya–, sarrios, cabras monteses...) y de la pesca (salmones en Berroberría), organizaban sus hogares en la embocadura de las cuevas y eran muy hábiles artesanos en hueso y asta (arpones, azagayas, agujas, elementos de adorno personal). El estudio de estratos e industrias y dataciones absolutas por C14 permiten establecer las etapas del Magdaleniense en Navarra: inferior y medio en Abauntz (niv. e) y Berroberría (niv. G), superior y final en Berroberría (E) y Zatoya (IIb). En Alkerdi, junto a Berroberría, se conservan algunos grabados de animales hechos sobre la roca por ese tiempo. En el abrigo de Portugain (Urbasa) se ha estudiado un sitio de taller de mediados del IX milenio a.C. Se atribuyen también al Magdaleniense utensilios encontrados en los términos de Echauri, Olite y en la sierra de Alaiz.

En el Epipaleolítico (o Mesolítico) los pobladores del territorio se van adaptando a las condiciones de la actualidad climática (Holoceno); sus formas culturales –que perduran, en cierto sentido, las propias de los cazadores/recolectores del Paleolítico– se producen entre los años 8.200 y 4.500/4.250 a. C. Para la caza, se desarrollan puntas microlíticas (primero, de dorso; después, de formas geométricas –trapecios y triángulos–); para otros usos, se mantiene el equipamiento básico de industria lítica del Paleolítico terminal, reduciéndose la variedad de la ósea. Dentro del Epipaleolítico se suceden tres situaciones culturales: el Aziliense (así en los niveles D de Berroberría, II de Zatoya y d de Abauntz), el Epipaleolítico microlaminar (nivel Ib de Zatoya: en la segunda mitad del VII milenio a.C.) y el Epipaleolítico geométrico: niveles C de Berroberría y niveles d, IV y b, respectivamente, de los abrigos de La Peña (Marañón), Padre Areso (Bigüézal) y Aizpea (Arive); dentro probablemente del VI milenio.

2. EL PROCESO DE NEOLITIZACIÓN

Varias innovaciones de gran trascendencia se han producido en la historia de la humanidad con el Neolítico, de orden técnico (cerámica, pulimento de la piedra) o económico/social (agricultura, domesticación, asentamientos "urbanos"). No en todas partes ese profundo cambio cultural aparece en plenitud, o sea con todos sus síntomas y al mismo tiempo. En el interior de la cuenca del Ebro y en medio subpirenaico aparecen indicios parciales del Neolítico ya para mediados del V milenio; aunque la neolitización sea de hecho un proceso bastante largo, apenas incoado en esas fechas. Así se atribuyen al Neolítico antiguo, con cerámicas toscas, los niveles C de Abauntz y I de Zatoya (del tercer cuarto del V milenio). Al

Neolítico medio se refieren una ocupación del raso de Urbasa (sitio Urb. 11) y los niveles b4 de Abauntz (fechado a mediados del IV milenio) y III de Padre Areso (con un enterramiento incluido).

Se piensa que la primera expansión de construcciones funerarias colectivas (dólmenes) en zonas próximas a Navarra (Mesa oriental, Rioja) pudo originarse en el Neolítico reciente, ya a fines del IV milenio, arraigando con fuerza en el milenio siguiente.

3. LOS INICIOS DE LA METALURGIA Y LAS PRIMERAS CULTURAS AGRÍCOLAS Y PASTORILES: ENEOLÍTICO Y EDAD DEL BRONCE (2.500 - 1.000 A.C.)

Hay ya cerca de trescientos cincuenta dólmenes de varios tipos catalogados en suelo navarro. Se agrupan en sectores o estaciones (cordales montañosos, majadas pastoriles, parajes significados...), ofreciendo concentraciones o monumentos destacables los de Aralar, Urbasa/Andía, Roncal, Larrún, Auritz, Baztán, Leire/Illón, Artajona... La mayor parte de esas tumbas colectivas se sitúa en parajes de montaña de uso pastoril; son excepcionales en zonas medias (Artajona, Viana, Cirauqui) o de medio pirenaico a bastante altitud (Roncal y otras). Numerosos elementos de adorno personal y de ofrenda (colgantes, puntas de flecha, vasijas...) acompañan los restos humanos depositados en las cámaras dolménicas. La cerámica campaniforme aparece a veces entre el contenido de esos recintos: se fecha normalmente entre los 2.100 y los 1.700 a.C.

El suelo de Navarra –sobre todo, en su Zona Media y de Ribera– presenta ahora una notable densidad de hallazgos al aire libre (industrias de piedra tallada o pulida, algunos útiles –hachas, puntas– de cobre/bronce, cerámica, piezas de molino manual): evidencian zonas de taller y, en algunos casos, fondos de cabañas y de "poblados" de pocas chozas.

Las cuevas siguen siendo utilizadas: como refugio (abrigo de La Peña, Eneolítico a fines de la edad del Bronce), como recinto funerario (niv. b2 de Abauntz, fechado hacia el 2.300 a.C.) o con otros fines (así las pinturas esquemáticas, mal conservadas, del abrigo de Montañeros de Echauri).

El estudio de los restos humanos de esta etapa reconoce la convivencia, con diferencias según zonas, en el Pirineo occidental y alta y media cuenca del Ebro, de varios tipos raciales: pirenaico-occidentales o vascos, mediterráneos gráciles y otros minoritarios (paleomorfos, alpinoides...). Sobre ese complejo étnico se establecieron, a lo largo del II milenio (restos del Bronce final en un covacho de Urbiola) y acaso en la inmediata Edad del Hierro, grupos minoritarios foráneos (braquicráneos de ascendencia nórdica o armenoide, p.e.).

4. LA EDAD DEL HIERRO Y LAS TRIBUS PROTOHISTÓRICAS DEL I MILENIO A.C.

Varios grupos de gentes del otro lado del Pirineo ("celtas", "indoeuropeos", "hallstátticos") se asentaron, en diversas oleadas, en la Península Ibérica a partir de los años 1.000/900 a.C. Sus restos arqueológicos se clasifican como de la Edad del Hierro.

Es bastante amplio el repertorio de yacimientos de este tiempo en Navarra, sean poblados o necrópolis; pero no son muchos todavía los excavados a fondo. Destacan en el mapa provincial tres concentraciones: el tramo superior del Arga y la cuenca de Pamplona: poblados de Sansol (Muru Astráin), Leguín, Santo Tomás y San Quiriaco; el Sudoeste: La Custodia (Viana), El Castillar (Mendavia); y el Sur: poblados del Castejón (Arguedas), La Peña del Saco (Fitero) y del Alto de la Cruz (Cortes) y necrópolis de La Torraza (Valtierra) y La Atalaya (Cortes).

La muestra más significativa de la I Edad del Hierro se ha obtenido en la excavación de los niveles inferiores de los poblados del Alto de la Cruz y del Castillar; esa ocupación se prolonga hasta mediados del milenio en el Alto de la Cruz (con evidencias de sucesivos incendios y reconstrucciones del poblado), El Castillar, La Custodia, Sansol y Castejón.

Molinos de mano, recipientes mayores, pesas de telar, cerámica de cocina, morillos, etc. amueblan los recintos domésticos; broches de cinturón, pulseras, fíbulas y botones de cobre o bronce, cajitas cerámicas y vasijas de lujo (decoradas por excisión, acanaladas o pintadas), algunos idolillos (o "muñecos") de barro, etc. componen el efectivo de uso personal de aquellas gentes.

En la II Edad del Hierro se conoce la aparición de vasijas elaboradas a torno y –hacia los años 350 ó 300 a.C.– la expansión de cerámicas pintadas del estilo celtibérico (La Custodia, Castejón, Leguín, Sansol...) y la presencia generalizada de aperos e instrumentos de hierro.

De modo general, las gentes de la Edad del Hierro incineran a sus muertos recogiendo sus cenizas en urnas cerámicas o depositándolas bajo túmulos de piedras o de tierra. Además de las necrópolis ("campos de urnas" y tumulares) junto a los grandes poblados, se conoce en medio de montaña pirenaica la costumbre de construir recintos de incineración en círculo (*baratzak* en euskera), a modo de crónlech, en una cronología que, desde la I Edad del Hierro, alcanza los siglos del cambio de Era.

La tribu de los Vascones ocupó en la Protohistoria el solar actual de Navarra, extendiéndose ligeramente en sus épocas de mayor expansión por las provincias limítrofes: por el curso del Bidasoa hacia el mar (Oiason en la desembocadura del río), hacia el Este a costa de la Jacetania y hacia el Sur al otro lado del Ebro asimilando parte del territorio de los Berones. En una de sus ciudades (Barskunes, no lejos de Pamplona) acuñó por los años 100 a 75 a.C. monedas de plata y bronce con caracteres ibéricos.

LA ROMANIZACIÓN

M.ª ÁNGELES MEZQUÍRIZ IRUJO

A principios del siglo II a. de C., por el valle del Ebro, la legiones romanas llegan a la parte meridional del territorio de los Vascones. La romanización fue desarrollándose durante los siglos II-I a. de C., habiendo alcanzado Pamplona con anterioridad a las guerras cántabras. La paz de Augusto y el trazado de calzadas en la primera época imperial intensificaron el proceso, como se acredita por la generalización de las inscripciones latinas y la sustitución de las leyendas monetarias ibéricas por las romanas.

Los pequeños *oppida* se transformaron en ciudades que serían focos de irradiación de cultura latina. A través de los historiadores y geógrafos griegos y romanos, conocemos el nombre de las *civitas* antiguas situada en nuestro territorio: *Pompaelo, Cara, Andelos, Cascantum* y la *mansio* de Iturissa. De todas ellas hay evidencias en las salas del Museo.

Además de la vida urbana de tipo romano, el campo estaba poblado por una serie de viviendas rurales, *villae*, habiéndose realizado excavaciones en Liédena, Falces, Villafranca, Tudela, Arellano, etc. Son especialmente ricas las fechadas en el Bajo Imperio, por cuanto en esa época, a causa de la inestabilidad política, los propietarios abandonaron las ciudades para vivir en el campo, decorando sus casas con ricos pavimentos teselados. Muchos de estos pavimentos se exponen en el Museo, constituyendo una importante colección de mosaicos romanos.

Un factor decisivo en la romanización de nuestro territorio fueron las calzadas. Hay testimonios sobre el recorrido y las *mansiones* en tierras navarras de dos importantes vías. El itinerario de Antonino, guía de caminos de la época de Diocleciano, describe la que unía Aquitania con Hispania, penetrando por Ibañeta, es decir, por el paso de los Pirineos Occidentales. La segunda vía citada en este itinerario pasa por el Sur de Navarra, en la margen derecha del Ebro.

Dentro de la colección epigráfica hay dieciséis miliarios, unos completos y otros fragmentados, que documentan la red viaria en nuestro territorio. De ellos se exponen solamente cuatro.

También han quedado en Navarra restos de algunas obras públicas significativas, tales como la explotación minera y la hidráulica. Sobre la primera se conocen las minas de cobre de Lanz, con la construcción de numerosas galerías de perfil ovoide, habiéndose hallado dentro algunos restos de lucernas del siglo I. En cuanto a los restos de ingeniería hidráulica romana, hay que citar el acueducto de Alcanadre-Lodosa, hecho para el aprovisionamiento de agua a *Calagurris*. También se ha descubierto el sistema de abastecimiento de agua a la ciudad de *Andelos*, habiéndose localizado la presa, un depósito regulador, el trazado del acueducto y el *castellum aquae*.

Dentro de las manifestaciones artísticas aportadas por la cultura romana, hay que destacar las siguientes:

Escultura: La escultura romana en Navarra es escasa. Los trabajos en mármol conservados se limitan a la Artemis de Sangüesa y al retrato masculino de Santacara. Cabe señalar también el arte del relieve que aparece en las estelas funerarias y en algunos altares de ofrendas. Finalmente, en cuanto a escultura en bronce conocemos los hallazgos en Pamplona, a fines del siglo XIX, de dos estatuas, hoy perdidas. En el Museo se conserva una mano magníficamente ejecutada, así como dos estatuillas: un Hermes hallado en Pamplona y un sátiro escanciando un odre que procede de Javier. Hay que destacar el hallazgo en Santacara expuesto en la Sala 1.5, que consiste en los dos pies de una estatua provistos de *calceus* o botines, calzado que acompañaba a la toga.

Arquitectura: han llegado hasta nosotros, procedentes de *Pompaelo*, *Cara y Andelos*, algunos restos de columnas, fustes y capiteles que nos permiten comprender la intensa romanización desde época romana temprana, participando de las corrientes artísticas del siglo I a. de C.

Mosaico: Los mosaicos romanos hallados en Navarra indican los gustos de los hipanorromanos de este solar, sus preferencias, el grado de asimilación de las corrientes artísticas y sus relaciones con el resto de la Península y otras regiones del Mediterráneo.

Se pueden señalar tres periodos significativos: la época republicana (siglos II-I a. de C.), la época imperial (siglos I-II d. de C.) y Bajo Imperio (IV-V d. de C.).

De época republicana se han hallado pavimentos de *opus signinum* con dibujos de reticulado, círculos, svásticas, delfines, etc., en *Cara, Andelos, Pompaelo* y *Cascantum*, fechables entre los siglos II y I a. de C. De época imperial se han localizado algunos pavimentos en mosaico, *opus tesellatum*, de los siglos I y II. Esta cronología se ha venido dando a los mosaicos de la primera *villa* de Liédena, al de Lumbier y a los de Pamplona, con figuras de murallas y de Teseo y el Minotauro, así como al procedente de *Andelos*, con representación del Triunfo de Baco. En todos es evidente la influencia de modelos helenísticos e itálicos.

Señalemos por último que la mayor abundancia de mosaicos corresponde al Bajo Imperio (siglo IV y comienzos del V), destacando los de Arellano, Liédena, Villafranca y Ramalete (Tudela).

VITRINAS

VITRINA 1
RITOS FUNERARIOS

Ligado a las creencias o practicas religiosas de cualquier época, está el culto funerario. Hasta el siglo III d. de C. los romanos practicaron la incineración de los difuntos, recogiendo las cenizas en urnas de vidrio o de barro que enterraban directamente en la tierra y señalando el lugar con epitafios grabados en estelas. Sabemos poco de estas prácticas funerarias, pero de estos hallazgos se puede extraer información sobre composición de estratos sociales, edad media de vida, elementos culturales. los nombres revelan su origen así como el proceso de romanización en sus descendientes.

La única necrópolis de incineración romana es la localizada cerca de Espinal, fechable a fines del siglo I, correspondiendo posiblemente a la *mansio* de Iturissa, situada sobre la vía *Ab Asturica-Burdigalam.*

De los siglos III, IV, V son pocos los vestigios funerarios de enterramientos de inhumación excavados, siendo los únicos restos de ajuar algunos ungüentarios de vidrio procedentes de Milagro, Villafranca y las piezas del enterramiento infantil de *Andelos.*

VITRINA 2

RELIGION Y ARTE

Los romanos fueron muy cuidadosos con el proceso de aculturación de los pueblos conquistados, no imponiendo sus creencias.

Son muchos los nombres de divinidades locales prerromanas que aparecen en altares votivos como Losa, Selatsa, Velonsa, siendo la mejor muestra del sincretismo religioso las dos aras gemelas de la Sala 3 en que aparecen los mismos dedicantes, ofrecidas una de ellas a Júpiter y la otra a Lacubegis. Se distinguen únicamente porque esta última presenta en los laterales una cabeza de toro. También los dioses del Panteón romano como Júpiter, Marte, Sol, Las Ninfas, aparecen en las aras.

La dedicación a Apollo se encuentra solamente en la placa de bronce hallada en Andelos, situada en la vitrina. Pesa 8.700 gr. y mide 64,5 x 46,5 cm. La inscripción está realizada en ocho líneas. Las dos primeras con el nombre de la divinidad APOLLINI AUG y las cuatro siguientes con el *nomen* y *cognomen* de los dedicantes, así como su filiación. El cargo municipal, AEDILES, aparece al final. Por el tipos de letra puede corresponder a fines del I d. de C.

Dentro de la escultura en mármol destaca un fragmento de cabeza procedente de Santacara. Se trata de un retrato representando a un hombre, con ancha frente surcada de arrugas, así como recios pliegues verticales en el entrecejo. tiene grandes ojos sin señal de pupilas ni de iris. Presenta deterioros antiguos en nariz, mejillas, ojos y mentón. Del peinado conserva un corto flequillo de mechones biselados. La labra es cuidadosa, pudiendo situarse cronológicamente a mediados del siglo I d. de C.

VITRINA 3

LA CASA: MATERIALES DE CONSTRUCCIÓN

Los materiales utilizados para construir un edificio resumen toda la actividad artesanal de una época y son bastante elocuentes sobre sus recursos técnicos y financieros. Esto justifica que consagremos un lugar especial a los materiales de construcción romanos hallados en Navarra.

La principal materia prima es la piedra local: arenisca o caliza según las canteras más próximas utilizadas. En muchos casos, especialmente en el interior de los edificios, las paredes iban revestidas de estuco, que recibía sobre él la pintura. Extraordinariamente se han encontrado restos de revestimiento de mármol.

Procedentes de viviendas de los siglos I y II en las ciudades romanas de *Andelos* y *Cara* existen numerosos fragmentos de pinturas murales o estucos moldurados que, con los mosaicos expuestos, constituían la decoración interior de las viviendas.

La construcción a base de *suspensurae* de pavimentos soportados por estos pequeños pilares, se limitaba a las zonas calientes o templadas de las instalaciones termales, utilizando también tuberías de cerámica para facilitar la circulación del aire caliente.

La madera se usaba para el entramado de soporte de los tejados, así como para escaleras interiores. También son frecuentes los hallazgos de restos de "pies derechos" que ayudan al sostenimiento de las techumbres en lugar de pilastras de piedra.

El tejado propiamente dicho estaba hecho por piezas cerámicas de dos formas: las *tégula*, rectángulos planos con rebordes laterales y los *imbres*, en forma de media caña, que servían para cubrir la unión de dos tégulas. De este sistema perfectamente estanco ha sobrevivido hasta nuestros días la teja de media caña que desempeña las dos funciones.

Hay también muchos elementos metálicos asociados a la construcción, tales como llanas, herrajes, goznes de las puertas y tuberías de plomo para la conducción de agua de diversos calibres, basadas en el perfecto conocimiento del principio de los vasos comunicantes y de la presión ejercida por el agua.

MOBILIARIO Y MENAJE

Los materiales para fabricación de muebles, son por naturaleza perecederos. Los lechos, bancos, sillas, mesas, etc., serían hechos de madera, cuero, mimbre. Sólo los elementos metálicos de sujeción y adorno han llegado hasta nosotros. En Santacara, se ha encontrado un aplique con busto femenino en el que se aprecia claramente el sistema de sujeción en la parte posterior.

Dentro de la vajilla se encuentran algunos recipientes metálicos; jarros y *sítulas*, en la mayor parte de los casos, en estado fragmentario, conservándose especialmente los elementos más sólidos como asas, apliques de *sítulas*, etc.

Los hallazgos más abundantes son los recipientes de cerámica. De ellos, los restos más antiguos romanos debieron ser importados por militares y mercaderes. Pertenecen al tipo llamado cerámica campaniense de barniz negro, que ha sido localizada en todos los asentamientos de carácter urbano excavados: *Pompaelo, Cara, Cascantum*. Esta cerámica remonta la aportación de elementos culturales romanos a fines del siglo II a. de C. o comienzos del siglo I a. de C.

También son abundantes los testimonios de *Terra Sigillata Aretina*, fabricada en Arezzo (Italia) durante el tiempo de Augusto, siguiendo las formas, técnicas y motivos decorativos de tradición helenística.

Como cerámica de mesa, la más abundante es la *Sigillata Hispánica*, imitación de las formas itálicas y gálicas. Esta cerámica compite con las de importación y seguramente a precios más baratos. Será la vajilla usada en la Hispania romana entre el siglo I y el IV d. de C. También al servicio de mesa corresponde la cerámica de paredes finas. En la zona de *Cara* debió existir alguna *officina* ya que aparecen formas exclusivas en gran abundancia.

Además se utilizaban para cocinar todas las cerámicas que se llaman de fabricación común. Las hay de tonos claros o rojizos bastante cuidadas y las de tradición indígena de color ceniciento oscuro. Una pieza indispensable de cocina era el *mortarium* para moler los ingredientes con que se condimentaban los alimentos, a que tan aficionados eran los romanos.

Los cereales se molían entre dos piedras; una durmiente, fija, y otra que se hacía girar manualmente. Entre los recipientes para guardar o transportar alimentos sobresalen las tinajas (*dolias*) y las ánforas. Muchas veces llevan marcas de la *officina* donde fueron fabricadas.

Dentro de la casa la iluminación se hacía con velas (*candelae*) de cera de abeja o sebo y lamparitas de aceite (*lucernae*). Se usaban unas y otras aisladamente o formando conjuntos de varias unidades, candelabros, o se colocaban en la calle dentro de linternas.

Había lucernas de metal como la de bronce de *Andelos* y sobre todo de arcilla. La mayor parte de las encontradas en yacimientos navarros corresponden a los tipos dados a partir del siglo I d. de C.

Las lucernas eran fabricadas por medio de moldes en *officinas* especializadas, dispersas por todo el imperio. Algunas llevan marca del alfarero, sobre todo en el siglo II d. de C. También tenían decoraciones con motivos mitológicos, eróticos, de juegos y, a partir del siglo IV, es frecuente la simbología cristiana.

Finalmente, hemos de aludir a una pieza expuesta: El abecedario procedente de Castejón. Inscrito sobre un trozo de cerámica, con letras cursivas romanas. Se observa un orificio como para tenerlo colgado. No sabemos si corresponde a uso privado o a un lugar de enseñanza de la escritura.

ADORNO PERSONAL

En Navarra no han aparecido valiosas joyas romanas. Era frecuente el uso de numerosos anillos en todos los dedos de las manos, excepto en el medio, por superstición. En las excavaciones del arcedianato de Pamplona, apareció un anillo de oro con alma de hierro y el nombre de su dueño. También se han encontrado entalles de pasta vítrea o ágata para colocar en anillos.

Las fíbulas, que eran usadas para fijar las piezas del vestido y los drapeados, son alfileres metálicos cuyo uso se remonta a la Edad del Hierro, con una serie importante de modelos, algunos de los cuales sobreviven durante el Alto Imperio. En el siglo I hay dos tipos característicos: *el de charnela* y *el anular*.

Con alfileres simples con una aguja (*acus crinalis*) recogían las mujeres romanas sus cabellos. A partir de la época flavia los complicados peinados, que recurren con frecuencia a postizos, exigen decenas de alfileres, que van adquiriendo diversas formas y decoración adecuada a los materiales trabajados: hueso, marfil, plata, bronce y oro, siendo el primero el más abundante y el que también es más frecuente en nuestros hallazgos.

Las formas de cabeza pequeña, redondeada, piramidal son típicas de los siglos I y II. Los alfileres con cabeza voluminosa pertenecen a época romana tardía.

Los colgantes son frecuentes dentro del adorno personal. Muchas veces, tienen la finalidad de alejar los maleficios y propician la buena fortuna.

MONEDAS

La primera moneda en disco metálico acuñada por los romanos, se fecha hacia el año 269 a. de C., el ARES GRAVE, fundida en bronce representando a Jano Bifronte y una proa de navío. Después de la Segunda Guerra Púnica se crean los denarios de plata en los que se representaba a Roma incluyendo el nombre.

En la Península Ibérica, antes de la llegada de los romanos y coetáneamente a ellos, los pueblos ibéricos acuñan moneda de plata y bronce.

Por ellas conocemos el nombre de numerosas ciudades y tribus, como es el caso de BARSCUNES.

Al comienzo del Imperio romano, siguen acuñándose las monedas ibéricas, sin embargo, comienza a introducirse en ellas nombres romanizados en latín. En la segunda mitad del siglo I y en época posterior, las monedas halladas siguen el régimen monetario imperial.

VITRINA 4

PAMPLONA ROMANA Y VISIGODA

La dedicación dentro del Museo de una sala a los restos arqueológicos de Pamplona, su asentamiento más remoto y su fundación romana, viene justificada al no existir, como en otros lugares, un Museo de Historia de la Ciudad.

En la vitrina se recogen los materiales más significativos hallados en las excavaciones. Hay cerámica pre-romana con decoración incisa y excisa que prueba la existencia de población en el solar de Pamplona desde el siglo VII-VI a. de C.

Las cerámicas campanienses documentan la primera intervención romana, siendo la evidencia objetiva de su presencia entre el 80-60 a. de C. Ello viene a coincidir con los testimonios escritos que fechan en el invierno del 75-74, la estancia de Pompeyo y por tanto la fundación de la ciudad que tomó su nombre.

Entre los objetos romanos expuestos, se recogen fragmentos de escultura en bronce, cerámica de diversos tipos: importación gálica, Sigillata Hispànica, paredes finas, cerámica común, balanzas de bronce, etc., todo aquello que constituyó el ajuar y modo de vida de las casas romanas excavadas.

La necrópolis de *Pompaelo* debió situarse al sur de la ciudad, continuando la tradición en época visigoda. De esta época disponemos de abundantes ajuares funerarios que fueron descubiertos y excavados a fines del siglo pasado. El lugar se llamaba "obietagaña", que quiere decir en vascuence "sitio de tumbas", lo que demuestra su conocimiento desde tiempos antiguos.

Entre los materiales hay vasos y jarritos rituales, armas y diversos elementos de adorno personal característicos de época visigoda: broches de cinturón, anillos, collares y zarcillos.

Mosaico romano de Dulcitius Ramalete

Mosaico de teselas de color: blanco, negro, gris, ocre, rosa, rojo, verde y amarillo

735 cm de eje. Teselas blancas y negras: 9 x 10 mm. Teselas de color: 8 x 8 mm

Procedencia: Villa romana del Ramalete (Tudela), habitación n.º 8

Siglo IV-V d. C.

Fecha de ingreso en el Museo: 1947

El pavimento se ajusta a la forma octogonal de la estancia. De fuera a dentro, enmarca el conjunto una decoración floral formada por una serie enlazada de roleos vegetales que nacen de unas plantas que hay en cada uno de los ángulos. A continuación, un gran círculo compuesto por una doble guirnalda de hojas, una en color verde y otra en rojo que se entrelazan dejando al centro un gran medallón y en torno suyo otros ocho más pequeños.

El medallón central representa un cazador en el momento de atravesar con un venablo a la cierva que perseguía. En la representación del caballero posiblemente hay que ver al dueño de la villa. Una inscripción repartida a ambos lados de la cabeza del jinete nos ha conservado su nombre: DVLCITIVS.

Mosaico romano. Ramalete

Mosaico de teselas de color: blanco, negro, gris, ocre, amarillo, naranja, rojo, rosa, verde y azul marino

Las teselas, en el campo: 8 x 8 mm y en el emblema 5 x 5 mm

Procedencia: Villa romana del Ramalete (Tudela), habitación n.º 5

Siglo IV-V d. C.

Ingreso en el Museo: 1947

En primer lugar encontramos el umbral de la habitación pavimentado con mosaico. La composición es de tema floral. De un cáliz brota verticalmente un vástago en forma de piña y a cada lado, una flor que puede ser un lirio, salen follajes serpenteantes, que primero se dividen en dos ramas, para ocupar el ancho umbral y después quedan reducidas a una, que corre hasta los extremos de la habitación haciéndose cada vez más sencilla, hasta quedar un simple tallo ondulante del que nacen dos frutos redondos.

El mosaico de la habitación 5 propiamente, está enmarcado por una franja de composición geométrica a base de cuadrados, triángulos y paralelogramos sobre la base de una cuadrícula. El campo está compuesto por un motivo de cordón que forma svásticas alternadas. El emblema es la parte del mosaico que ha sido ejecutado con mayor cuidado y mayor riqueza de elementos decorativos. Se compone a su vez de dos partes: una ancha cenefa formada por cornucopias y follajes entrelazados combinados con pájaros y hojas de vid. Al centro aparece una guirnalda a modo de corona. Ocupando las enjutas, cestos con frutas y en la parte central un gran *kantharos* sostenido por cada una de las asas por dos *putti* alados y sobre cuyo borde se inclinan dos palomas. Parece que a esta representación puede atribuírsele el sentido de augurio favorable.

Capiteles. Santacara

Dos capiteles romanos. Orden Corintio

60 x 71 x 71 cm

Procedencia: Civitas Cara (Santa Cara)

Siglo I d. C.

Fecha de ingreso en el Museo: 1969

Entre los capiteles de estilo corintio encontrados en Navarra, merecen lugar destacado los dos procedentes de Santacara. Estos ejemplares ocuparían los ángulos de algún edificio público.

Son piezas bien conservadas y de excelente realización. Tienen las hélices y volutas bien trabadas.

Todos los elementos en su constitución y estilo de labra tienen paralelos muy próximos en capiteles itálicos de época augustea.

Capitel. Santacara

Bloque en proceso de talla

68 x 76 x 76 cm

Procedencia: Civitas Cara (Santacara)

Siglo I d. C.

Fecha de ingreso en el Museo: 1979

Pieza que puede ser un capitel comenzando a tallar. Se ven marcadas las líneas horizontales de las coronas de hojas de acanto y las protuberancias de las volutas en los ángulos, aunque falta la zona del ábaco.

La excelente ejecución de los capiteles de Santacara podría hacer suponer que proceden de talleres foráneos, sin embargo, el hallazgo de esta evidencia demuestra la existencia de un taller en época romana, aunque la fidelidad a los modelos itálicos de los hallazgos de Santacara, hace pensar en la presencia de artesanos no hispánicos en dicho taller.

Mosaico del Triunfo de Baco. Andelos

Pavimento de teselas de color: blanco, negro, ocre, verde, gris, amarillo

368 x 372 cm

Procedencia: Andelos (Andión, Mendigorría)

Siglo I-II d. C.

Fecha de ingreso en el Museo: 1986, año de su descubrimiento

El mosaico presenta una figura policroma al centro, cuyo tema es el mitológico Triunfo de Baco cuando vuelve victorioso de la India, rodeado de motivos vegetales y geométricos en blanco y negro.

Se aprecia claramente una de las ruedas del carro, sobre el que debían situarse dos figuras. De la representación de Baco sólo se conserva la mano izquierda, muy finamente realizada, con anillos en los dedos índice y corazón, que sujeta las riendas a la vez que un *kantharos* que simboliza su poder divino. La misma mano recoge la punta del manto. De la segunda figura sólo ha quedado la silueta posterior de la cabeza, parte de un cuerpo desnudo y la punta de la clámide movida al viento. Pudiera tratarse de una figura de Victoria o de su esposa Ariadna, que es el acompañamiento habitual de las representaciones triunfales de Baco.

El carro está tirado por dos tigres. Uno de ellos aparece casi completo, con el cuerpo de perfil y la cabeza de frente. Delante de los tigres está la figura de Pan, el dios griego de la vida pastoril, con todas las características de su representación mitológica. Figura de estatura reducida con patas de cabra, se cubre con pieles por debajo de la cintura, mientras presenta el torso humano desnudo. Dos largos y puntiagudos cuernos salen de la frente. El brazo derecho sujeta un fuerte látigo para fustigar a los tigres.

En segundo término se ve la figura fragmentaria de una Bacante y en el ángulo superior derecho algunas letras que constituyen parte de la firma del *mussivarius*. En la línea superior hay una R entre dos puntos de separación y en la inferior ON.F seguida de una *hereda*. La terminación ON sugiere el final de un nombre de origen griego y la F es, indudablemente, la abreviatura de FECIT.

Toda la escena está enmarcada por un cordón y una cenefa de roleos en cuyo interior llevan hojas de hiedra. Los ángulos se hallan ocupados por cráteras.

Estamos, sin duda, ante un mosaico de tradición helenística, aunque realizado al gusto romano. Pavimentaba una sala triclinar con una zona en forma de U, en blanco y negro para situar los lechos.

Los hallazgos arqueológicos encontrados en el estrato inferior del mosaico nos han aportado evidencias para fechar su ejecución a finales del siglo I d. C.

Mosaico de Teseo y el Minotauro

Fragmento de un pavimento de mosaico con teselas de colores: blanco, negro, rojo, ocre, gris

105 x 140 cm

Procedencia: Pamplona

Siglo II d. C.

Fecha de ingreso en el Museo: 1860

La composición presenta a Teseo que sujeta al Minotauro por uno de sus cuernos y alza su brazo derecho, en cuya mano tendría la maza que arrebató a Perifetes.

Esta escena es, sin duda, la parte central de un pavimento en el que estaba también representado el Laberinto de Creta, del que se ve una pequeña parte en los círculos que rodean la escena, pues se puede apreciar cómo, en la parte derecha, el segundo círculo de doble hilera de teselas negras se interrumpe y vuelve en ángulo recto hacia la derecha.

Las representaciones de la lucha de Teseo y el Minotauro son muy abundantes dentro del arte romano, tanto en pintura como en mosaicos, sarcófagos, bronces, etc.

Mosaico romano. Andelos

Fragmento de un pavimento de mosaico con teselas de color: blanco, negro, rojo, ocre y gris

184 x 244 cm

Procedencia: Andelos (Andión. Mendigorría)

Siglo I a. C.

Fecha de ingreso en el Museo: 1991

Pavimento descubierto a la entrada de una estancia, en el que puede leerse la siguiente inscripción ibérica:

ᚱᚢᚾᚱᛖᛁᛈᛟᚱᚺᛟᛈᛏ ᚱᛖᛈᚹᛖᚾᛁᛈᚱᚱᚱ ᛗᛁᛈᛊ

cuya transcripción sería: LIKINE ABULORAUNE EKIEN BILBILIARS

Estela funeraria. Aguilar de Codés

Fragmento de estela funeraria en piedra caliza

23 x 30,5 x 14,5 cm

Procedencia: Aguilar de Codés

Época romana

Fecha de ingreso en el Museo: 1958.
Donativo del Ayuntamiento de Aguilar de
Codés

En la parte superior aparece la letra M (anibus)
como parte de la dedicatoria a los dioses
Manes. Por debajo inscritas, en una cartela
rehundida, dos figuras femeninas en pie y
parte de una tercera con las manos enlazadas.

Estela funeraria. Carcastillo

Inscripción funeraria en arenisca

Proceden.: Monasterio de la Oliva (Carcastillo)

206 x 80 (62) x 16 cm

Fecha de ingreso en el Museo: 1956

Tiene forma prismática trapezoidal. La
cabecera semicircular está decorada con una
roseta de seis pétalos y bajo ella un creciente
lunar entre rosetas.

En una cartela rehundida va la inscripción
PORCIUS
FELIX . K (a) RE (n) SIS
AN (norum) LXX. H (ic) S (itus) E (st)
SE VIVO FECIT.

La estela está, por tanto, dedicada a Porcius
Felix, Karense (de la ciudad de Cara) de 70
años.

Debajo de la inscripción aparecen tres
crecientes lunares inscritos en un rectángulo,
bajo el cual hay una triple arcada.

Se encontraba en el claustro del Monasterio
de la Oliva, ya en el siglo XVI, aunque su
procedencia parece ser Santacara. En 1910 fue
trasladada al Museo Provincial ubicada en la
Cámara de Comptos.

Estela funeraria. Gastiáin

Estela funeraria en piedra caliza amarillenta

157,5 x 88,5 x 27 cm

Procedencia: Ermita de San Sebastián de Gastiáin

Época romana

Fecha de ingreso e el Museo: 1952

La decoración está enmarcada por una cenefa de pámpanos y racimos de uvas que nacen en dos jarras situadas en la parte inferior y que terminan en la parte superior enfrentados a un ara. El resto se divide horizontalmente por medio de baquetones, en cuatro pisos. El más alto contiene un nicho formado por un arco ultrasemicircular, sostenido por columnas. Al centro, una figura femenina sedente con peines a ambos lados. En las enjutas superiores hay rosetas y cardas, junto las siglas rituales D(iis) M(anibus); en las inferiores van dos páteras. Por debajo aparece el epígrafe dentro de una *tabula ansata,*
AN(n)IA BUTURRA
VIRIATI FILIA
AN(norum) XXX. H(ic)S(ita)
    Por debajo ocupando una metopa entre dos árboles, aparece una figura de bóvido parado, vuelto a la derecha. Finalmente, en el piso inferior, lleva un disco conteniendo una flor de numerosos pétalos y a ambos lados ruedas de radios curvos y cráteras.

Estela funeraria. Gastiáin

Fragmento de estela funeraria en piedra caliza

Procedencia: Ermita de San Sebastián de Gastiáin

76 x 88,5 x 31 cm

Época romana

Fecha de ingreso en el Museo: 1952

La decoración se halla enmarcada por una cenefa de pámpanos y racimos que acaban en la parte superior enfrentados en un ara. Dentro hay dos espacios, uno amplio conteniendo una gran rueda de radios curvos sinistrógira dentro de un círculo dentado. Bajo ella dos aves y un racimo de uvas y a ambos lados cráteras y páteras.
    Por debajo aparece el epígrafe en dos líneas enmarcadas con un fino baquetón.
M(arcus) JUNIUS PATERNUS CANTABRI FILIUS AN(norum) XXX
    En 1902 la estela estaba colocada a la derecha de la puerta de entrada a la Ermita de San Sebastián de Gastiáin. Según testimonio de Fita, había una parte inferior decorada con la figura de un jinete, que habría desaparecido antes de su traslado al Museo de Navarra.

Estela funeraria. Aguilar de Codés

Fragmento de estela funeraria en piedra caliza

39,5 x 50 x 20 cm

Procedencia: Aguilar de Codés

Época romana

Fecha de ingreso en el Museo: 1958.
Donación del Ayuntamiento de Aguilar de Codés

En la parte superior aparecen las letras fragmentarias de la dedicación ritual D(iis) M(anibus). Por debajo, dos arcos y medio contienen sendas figuras humanas de tosco trazado. Dos de ellas cogidas de la mano, de las que la de tamaño menor sostiene la figura de un niño en el brazo izquierdo. Un peine la separa de la tercera figura, de la que puede verse sólo el lado derecho.

Estela funeraria. Marañón

Estela funeraria en piedra arenisca gris

105 x 65,5 x 39 cm

Procedencia: Cementerio de Marañón

Época romana

Fecha de ingreso en el Museo: 1952

El epígrafe se halla inscrito en una *tabula ansata* con las siglas rituales D(iis) M(anibus) fuera de ella, a ambos lados de un creciente lunar, por debajo, otro creciente lunar de tamaño mayor. D(iis) M(anibus)
MA(arco) CAE(cilio) FLAVI
NO AN (norum) LX ET
MA(rco) CAE(cilio) FLAVO
AN(norum) XXXV DOITE
NA AMBATI CEL
TI F(ilia) SOC(ero) ET MA
RITO F(aciendum) C(uravit)
está partida por la mitad en sentido oblicuo y falta el ángulo inferior izquierdo.

Estela funeraria. Villatuerta

Fragmento de estela funeraria
en piedra arenisca gris

162 x 80 (68) x 27 cm

Procedencia: Hallada en la ribera izquierda del río Ega.

Época romana

Fecha de ingreso en el Museo: 1970

Falta la parte superior de la que sólo se aprecia el enmarque de un rectángulo. En la parte central la inscripción encartelada:
OCTAVIA PU
DENTIS FILIA
AN(norum) XXX H(ic) S(ita) E(st)

Estela funeraria. Lerga

Estela funeraria en arenisca

125 x 62,5 (55) x 29 (22) cm

Procedencia: Ermita de Santa Bárbara de Lerga

Época romana

Fecha de ingreso en el Museo: 1960

La parte superior está rota. La decoración se divide en dos zonas: la superior contiene la figura de un jinete en relieve, cabalgando a la derecha. Bajo ella, separada por la primera línea de la inscripción, una escena enmarcada por dos columnas, compuesta por dos figuras humanas en pie, que sostienen un objeto en forma rectangular.
En el texto se lee:
UM. ME. SA. HAR(i) FI(lius)
NAR. HUM. GE. SI. ABI
SUM. HA. RI. FI. LIO
ANN(orum) XXV.T(itilum) P(osius) S(umptu) S (uo)

Estela funeraria. Eslava

Estela funeraria en piedra arenisca	
40 x 55 x 15 cm	
Procedencia: Santacris (Eslava)	
Época romana	
Fecha de ingreso en el Museo: 1980:	

Inscripción dedicada a un cargo público,
dispensator:
ATHENIONI
DISPENSA
TORI PUBLI
CO ANT(onia) CRI
SARIS FE(cit)

Estela funeraria. Marañón

Fragmento de inscripción funeraria en caliza	
46 (20) x 36 x 23 cm	
Procedencia: Marañón	
Época romana	
Fecha de ingreso en el Museo: 1952	

La parte superior está decorada con un nicho
semicircular con dos figuras humanas
esquemáticas cogidas de la mano. Por debajo
el epígrafe, en buena parte borrado por la
erosión. El texto pautado se halla inscrito en
un recuadro rehundido, y de él falta la parte
inferior derecha.
Su lectura no es muy clara:
D(iis) M(anibus) MEMOR (am)
AENINIARI ET
ANE UXOR (i pare)
NTI (bus) CARES(simis)
ANN(orum)
FILIA
    Se encontró empotrada en la pared norte
del cementerio de Marañón y fue donada al
Museo por el párroco.

Estela funeraria. Gastiáin

Piedra caliza	
85 x 48 x 35 cm	
Procedencia: Ermita de San Sebastián de Gastiáin	
Época romana	
Fecha de ingreso en el Museo: 1952	

Fragmento de estela funeraria reutilizado para
formar la mesa del altar de la Ermita de San
Sebastián de Gastiáin, la inscripción dice así:
    Iunia Ambata, Virio[ni]
    f[ilia], an[orum] XXV, H[ic] s[ita]

Estela funeraria. Gastiáin

Fragmento de estela funeraria en piedra caliza

Procedencia: Ermita de San Sebastián en Gastiáin

97 x 82 x 33 cm

Época romana

Fecha de ingreso en el Museo: 1952

Se conserva la parte superior. La decoración está enmarcada por pámpanos y racimos de uvas. En el rectángulo central lleva una roseta de quince pétalos nervados y lanceolados, comprendida dentro de un círculo de puntas de flecha. En las enjutas superiores dos pequeñas rosetas de cinco pétalos. Por debajo aparece una guirnalda de puntas de flecha, rematada en círculos y a ambos lados páteras.

En la zona inferior aparece el epígrafe en tres líneas,
DOMITIA SEM
PRONIANA
MATERNI F(ilia)

Ara votiva romana. Leire

Ara votiva de piedra arenisca de forma prismática

68 x 34 x 27 cm

Procedencia: Monasterio de Leire

Época romana

Fecha de ingreso en el Museo: 1952

El texto es el siguiente:
QUINTIUS
LICINIUS
FUSCUS. AQUILE
GUS. VARAIEN
SIS. NIMPIS
VIBENS. M(erito)
V(otum) S(olvit)

Está dedicada a las Ninfa por Quintius Licinius Fuscos de profesión *Aquilegus*, procedente de Varea, cerca de Logroño.

Fue encontrada formando parte de un muro, como sillar, en el Monasterio de Leire desde donde pasó al Museo.

Ara votiva romana. Ujué

Ara votiva de piedra arenisca

87 x 43 x 42 cm

Procedencia: Sacristía de la Iglesia de Ujué

Época romana

Fecha de ingreso en el Museo: 1952

En el lateral izquierdo tiene la representación de una cabeza de toro en altorrelieve.

El texto es el siguiente:
COELITE
SPHOROS
ET FESTA
ET TELESI
NUS LACU
BEGI EX
VOTO

Está dedicada a una divinidad local, Lacubegis. La presencia de la cabeza de toro parece relacionada con ciertos cultos de tipo genésico.

Es de señalar también la presencia de numerosos grabados de cabezas de toro en un lugar llamado Montebego en los Alpes Marítimos, en la Liguria.

Mosaico romano. Liédena

Pavimento con teselas de color: blanco, negro, rojo y amarillo

238,5 x 555 cm

Procedencia: "Villa" de Liédena, habitación n.º 54, junto a la crujía este del peristilo

Siglo IV d. C.

Fecha de ingreso en el Museo: 1948

El mosaico es de trazado geométrico con círculos secantes que forman hexágonos de líneas curvas, dentro de los cuales va una roseta de seis pétalos. Las líneas que forman el trazado son dentadas. Todo ello está limitado por una línea de teselas negras. También enmarcando el pavimento aparece una doble línea, una lisa y otra dentada.

Mosaico romano. Liédena

Pavimento con teselas de color blanco y negro

250 x 545 cm

Procedencia: "Villa" de Liédena, crujía este del peristilo, habitación n.º 16,

Siglo !; d. C.

Fecha de ingreso en el Museo: 1946

La decoración del pavimento se halla enmarcada por dos líneas de teselas negras, cuyo centro se rellena de peltas negras y blancas entrelazadas. En la parte inferior izquierda el pavimento se amplía, posiblemente coincidiendo con la planta de comunicación a otro compartimento.

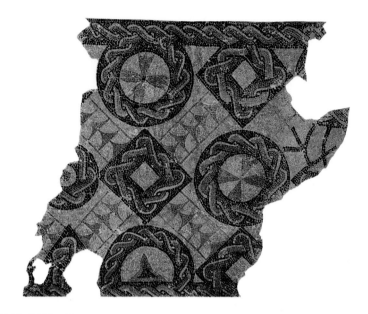

Mosaico romano. Liédena

Fragmento de pavimento con teselas de color: negro, rojo y amarillo

428,5 x 169 cm

Procedencia: Formaba la orla del gran pavimento del oecus de la "villa" romana de Liédena

Siglo III d. C.

Fecha de ingreso en el Museo: 1946

Está decorado por una serie de rombos y círculos combinados y formados por el mismo cordón, que enmarcaban un emblema con representación de Triunfo báquico muy deteriorado.

Mosaico romano. Liédena

Fragmento de pavimento con teselas de color: blanco, negro, rojo y ocre

430 x 293 cm

Procedencia: Galería del lado sur de la "villa" de Liédena

Siglo IV d. C.

Fecha de ingreso en el Museo: 1948

Está encuadrado por un motivo de trenza. El interior se divide en tres partes: una central más ancha y dos laterales idénticas. Estas se hallan decoradas con un motivo de círculos y cuadrados de cordón entrelazados. La parte central está enmarcada por una guirnalda de hojas y decorada con círculos concéntricos de trenzado y guirnalda, en cuyo centro hay un anagrama ilegible, que posiblemente indicaba el nombre del dueño de la "villa" en el siglo IV. En las enjutas aparecen jarrones toscos y entre ellos grupos de pajaritos y motivos vegetales.

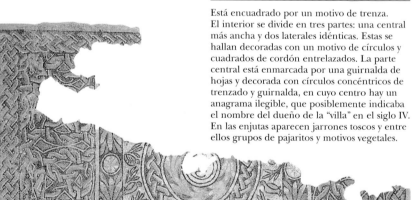

Ara votiva. Barbarin

Ara votiva en piedra arenisca	
90 x 40 x 31,5 cm	
Procedencia: Ermita de San Jorge. Barbarin	
Época romana	
Fecha de ingreso en el Museo: 1952	

El epígrafe tiene letras regulares y bien ejecutadas:
I(unius)GERM
ANUS
SELATSE
V(otum)S(olvit)L(ibens)
M(erito)
El término Selatse aparece dos veces en Barbarin. Se trata de una divinidad local.
Fue hallada junto a la ermita de San Jorge en el año 1910-1911. Formó parte del Museo de Javier desde donde pasó al Museo de Navarra.

Ara votiva romana. Aibar

Ara votiva en piedra arenisca	
105 x 50 x 37 cm	
Procedencia: Aibar	
Época romana	
Fecha de ingreso en el Museo: 1952	

Está decorada en tres de sus caras. En primer lugar presenta en el frente superior un frontón triangular y dentro de él, una pequeña cabeza de toro. A ambos lados, sendas volutas.
En los laterales lleva jarra y racimos de uvas. En uno de ellos una hogaza de pan y gavilla de espigas en el otro.
El epígrafe está enmarcado entre boceles rehundidos. Las letras son regulares y la incisión cuidada acabando en una *hedera:*
IOVI O(ptimo)
M(aximo) L(ucio) SE
MPRO
NIUS G
EMINUS
L(ibens) P(ecunia) S(ua)
Fue encontrada en 1925 y donada al Museo de Javier, desde donde pasó al Museo de Navarra.

Ara votiva. Arellano

Ara votiva en piedra arenisca
113 x 52 x 34 cm
Procedencia: Ermita de Nuestra Señora de Uncizu. Arellano
Época romana
Fecha de ingreso en el Museo: 1952

La forma en que está cortada la piedra por el lado izquierdo y los orificios del canto, hacen suponer que se trata de una de las partes de un díptico. Presenta anchas molduras en la parte superior e inferior.

El epígrafe es el siguiente:

QUAE VOTA SUPPLEX
MENTE TREPIDAVOVERAM
CUM AD ALTA ROMAE
PERGEREN FASTIGIA
HAEC TIBI NUNC FLAVUS
MAG(ilo) VICTOR ET LAETUS DIC(o)
(A)PPENINE NOSTRAE
FAUTOR INNOCENTIAE
(T)U(T) ANTUM QUAESO
MENTE PROP(i)TIA ACCIPE
QU(ae) TIBI DICAMUS
ARAM PALMAN VICTIMAM

El dedicante emplea el triple voto (ara, palma, víctima) al regresar a tierras hispanas después de un viaje a Roma en el que invocó la protección de Júpiter Appenino.

Ara Taurobólica. Sos del Rey Católico

Ara de piedra arenisca
42,5 x 49 x 30 cm
Procedencia: Sos del Rey Católico
Época romana
Fecha de ingreso en el Museo: 1952

Tiene forma cuadrangular y se halla decorada por el frente y costados. En la parte frontal la decoración aparece enmarcada por un grueso cordón en relieve, al centro una gran cabeza de toro con amplios cuernos, orejas y ojos marcados. Bajo ella un ara de sacrificio con cuchillo sobre ella y a un lado, la figura de un sacerdote con jarro ritual.

La decoración del costado forma tres arcos de herradura, claro precedente de una forma arquitectónica que será más tarde característica del mundo árabe.

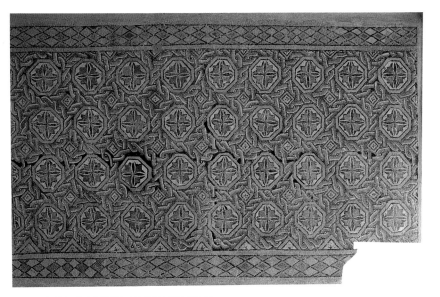

Mosaico romano. Liédena

Pavimento con teselas de color: blanco, negro, rojo, ocre

290 x 458 cm

Procedencia: "Villa" de Liédena, galería n.º 76

Siglo IV d. C.

Fecha de ingreso en el Museo: 1948

La decoración forma octógonos conteniendo rosetas de cuatro pétalos. Están limitados por un cordón que en los espacios comprendidos entre los octógonos, forma cuadros. Lleva cenefa en rombos a ambos lados.

Miliario romano. Castilliscar

Miliario en piedra arenisca amarillenta

Altura: 245 cm. Diám. máx.: 60 cm

Procedencia: Castilliscar

Hacia el 216 d. C., durante el reinado de Caracalla

Fecha de ingreso en el Museo: 1952

El epígrafe es el siguiente:
IMP(eratori) CAES(ari)
DIV(i) SEV(eri) PER (tinacis)F(ilio)
DIV(i) M(arci)AUR(eli)NE(poti)
DIV(i) ANT(onioni) PII PRON(epoti)
DIV(i) HAD(riani) ABN(epoti)
M(arco) AUR(elio) ANT(onino) PIO FEL(ici)
AUG(usto)
PART(hico) MAX(imo) BRITT(anico)
MAX(imo)
GER(manico) P(ontifici) M(aximo)
TRI(bunicia)
P(otestate) XIX
IMP(eratori) III CO(n)S(uli) IIII P(atri) P
(atriae)
Pro co(n)S(uli).
  Fue hallado por Escalada junto a la carretera de Sangüesa a Gallur.
  Ingresó en el Musco de Javier desde donde pasó al Museo.

Miliario romano. Santacara

Miliario en piedra arenisca amarillenta

Altura: 210 cm. Diám. máx.: 48 cm. Completo

Hacia el 32 d. C. en el reinado de Tiberio

Fecha de ingreso en el Museo: 25 de julio de 1969

El epígrafe es el siguiente:
TIb(erius) CESAR DIVI
AUG(usti) F(ilius) AUG(ustus) DIVI
IULI NE(pos) PONT(ifex) M
AX(imis) CO(n)S(ul) V IMP(erator) VIII
TRIB(unicia) POTESTAT(e) XXXIV
M(ilia) I
Se conocía a fines del siglo XVII y fue visto por Moret.
Redescubierto en 1969.

Miliario romano. Eslava

Miliario en arenisca de color claro

Altura: 132 cm, diám. máx.: 36 cm
Faltan algunas líneas de la parte superior.

Procedencia: Santacris (Eslava)

Hacia 275-276 d. C., en el reinado de Probo

Fecha de ingreso en el Museo: 1970

El epígrafe es el siguiente:
(I)MP(eratori) (C) AE(sari) M(arco)
AUR(elio)
PROBO PIO FEL(ici)
INVICTO AUG(usto)
PONTIF(ici) MAX(imo)
TRIB(unicia) POTEST(ate)
P(atri) P(atriae)
CO(n)S(uli) PROCO(n) S(uli)

Mosaico romano. Villafranca

Pavimento romano teselado

424 x 500 cm

Procedencia: Villafranca

Colores: Negro, blanco, ocre y rojo

Siglo IV d. C.

Fecha de ingreso en el Museo: 1970

De fuera a dentro, una franja de ajedrezado en blanco y negro enmarca la composición geométrica. El campo del mosaico está distribuido mediante dos líneas de teselas negras formando octógonos unidos entre sí, por pequeños cuadros, que contienen un nudo de Salomón y pequeñas aspas en los ángulos. En los octógonos se incrustan motivos de círculos concéntricos rellenos con los más variados motivos del repertorio musivo romano: guirnaldas vegetales, cordones, festones, etc., influido el mosaísta del *horror vacui* que caracteriza a muchos pavimentos tardíos. Al centro de los círculos, nudos de Salomón, simples o múltiples.

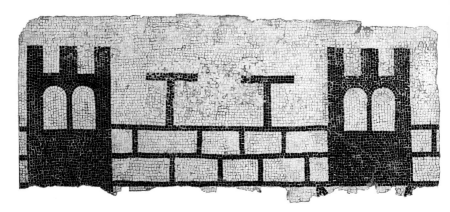

Mosaico romano. Pamplona

Mosaico con teselas blancas y negras

260,5 x 105 cm

Procedencia: Pamplona, calle Curia

Siglo II-III d. C.

Fecha de ingreso en el Museo: 1860

Representa una muralla hecha de grandes sillares, almenada y con dos torres. Las almenas están formadas por tres hileras de teselas negras dispuestas en T. Las torres tienen dos grandes ventanas y están coronadas por tres almenas distintas de las anteriores, formadas por siete hileras de teselas negras

Fue hallado casualmente en 1856, quedando reseñado en el Libro de Actas de las Sesiones de la Real Academia de la Historia el 9 de Enero de 1857.

Elementos arquitectónicos. Pamplona

elementos romanos de columna (basa y fuste) y capitel, en piedra arenisca amarillenta

Altura: 235 cm. Diámetro: 91 cm

Procedencia: Pamplona

Siglos I-II d. C.

Fecha de ingreso en el Museo: 1860

El fuste presenta acanaladuras muy pronunciadas. El capitel es de orden corintio. Entre sus características destaca una flor cuadripétala en el cálato, junto a las volutas. Los caulículos son anchos con tronco decorado y labio liso de donde parten las hojas de acanto. En los costados se levanta una hoja de palma. Está bastante deteriorado.

EDAD MEDIA

PRERROMÁNICO
MUSULMÁN
ROMÁNICO
GÓTICO

Planta 1

Sala 1.6
PRERROMÁNICO

Sala 1.7
ROMÁNICO

Sala 1.8
MUSULMÁN

Sala 1.9
PINTURA MURAL GOTICA
(Grandes piezas)

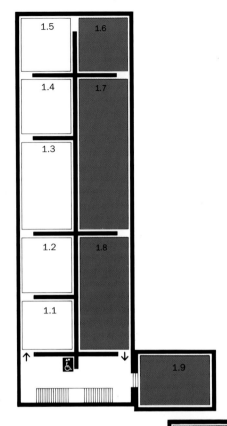

Planta 2

Sala 2.1
TABLAS PINTADAS
GOTICAS
Siglos XIV-XV

Sala 2.2
PINTURA MURAL GÓTICA
(Artajona)
Siglos XIII-XIV

Sala 2.3
PINTURA MURAL GÓTICA
(Gallipienzo)
Siglos XIV-XV

Sala 2.4
PINTURA MURAL GÓTICA
(Gallipienzo)
Siglos XIV-XV

Sala 2.5
PINTURA MURAL GÓTICA
(Olleta)
Siglos XIV-XV

Sala 2.6
PINTURA MURAL GÓTICA
(Olleta)
Siglos XIV-XV

Sala 2.7
PINTURA MURAL GÓTICA
(Artaiz)
Siglo XIII

Sala 2.8
PINTURA MURAL GÓTICA
(Olite)
Siglo XIV

Sala 2.9
PINTURA MURAL GÓTICA
(Olite)
Siglo XIII

Sala 2.10
ORFEBRERIA

ARTE MEDIEVAL
EN EL MUSEO DE NAVARRA

MARÍA CARMEN LACARRA DUCAY

L AS OBRAS DE ARTE MEDIEVAL, con que cuenta el Museo de Navarra, procedentes de diversas localidades del viejo Reino, constituyen
un rico exponente del notable nivel alcanzado por los artistas que trabajaron en su territorio en cada uno de los estilos representados, correspondientes a las diversas etapas históricas.

De origen hispano-musulmán la obra más destacada es, sin duda, la
arqueta de marfil que procede del monasterio de San Salvador de Leire,
donde fue utilizada como relicario de las mártires oscenses Nunilo y Alodia.
Pieza de base rectangular, con tapa de tronco de pirámide, de notable tamaño (35 cm de largo por 22 cm de ancho y 22 cm de alto), cuyo buen estado de conservación y la belleza de las escenas cortesanas con que se decora, la convierten en joya de indiscutible valor dentro del panorama artístico peninsular. Procede de talleres cordobeses y su fecha de realización
corresponde al año 395 de la Hégira, es decir, 1005 de la era cristiana,
según dice una inscripción que bordea su cubierta que proporciona también el nombre de su destinatario, Abdalmalic, el hijo de Almanzor, y el del
equipo que la llevó a cabo, Faray con sus cuatro discípulos.

A la misma cultura hispano-musulmana pertenecen unos importantes
restos arquitectónicos, capiteles, modillones, placas decorativas, almena, de
distinto material, alabastro, mármol, caliza, yeso, procedentes de la antigua
Mezquita Mayor de Tudela.

A la cultura medieval cristiana corresponden la mayor parte de las
obras custodiadas. Un importante lugar merecen los altorrelieves figurati-
vos, tallados en piedra arenisca, que provienen de la antigua ermita, antes
monasterio, de San Miguel de Villatuerta, en la merindad de Estella. Son
ejemplares únicos, por su primitivismo, de discutida cronología (la noticia
más antigua de este monasterio se refiere a la donación del mismo a San
Salvador de Leire por el rey Sancho el de Peñalén, en diciembre de 1062),
a los que acompañaba una lápida conmemorativa cuya inscripción recuerda que la iglesia se hizo en tiempos de un rey, don Sancho, (Sancho II

Abarca, de Pamplona?) y de un obispo, don Blasco, por un maestro llamado Acto, lo que ha permitido suponer su pertenencia al estilo prerrománico cristiano en el último tercio del siglo X. Se representan en ellos figuras aisladas y composiciones de rara significación iconográfica entre las que destacan un Crucificado, un obispo a caballo, una escena litúrgica (bautismo?), varias figuras de animales entre las que se identifica un ave (gallo?) y la que se supone la más temprana representación del Arcángel titular del monasterio.

En estilo Románico pleno, de dimensión europea, favorecido por las relaciones internacionales que trajo consigo el desarrollo de la peregrinación a Santiago de Compostela, los más destacados ejemplos de escultura monumental son los capiteles pertenecientes a la fachada y claustro de la antigua Catedral románica de Pamplona. Entre los primeros destaca aquel que representa a dos aves enfrentadas picándose las patas, representación de origen musulmán que alude a las almas-pájaro desesperadas por su condenación, al repetir modelos popularizados a través de la ruta jacobea y confirmar la presencia, documentada en Pamplona, de Esteban, "maestro de la obra de Santiago" e iniciador de las obras de la Catedral de Pamplona durante el episcopado de don Pedro de Roda (1083-1115). La serie de capiteles que procede del claustro románico, anterior al actual, no menos bella, es ejemplo de un estilo más evolucionado como corresponde a una cronología algo posterior (episcopado de don Sancho de Larrosa, 1122-1142) y su recuerdo perdurará en diversos monumentos de la región navarro-aragonesa. Son siete capiteles dobles, tallados en piedra caliza con una técnica muy depurada, que denotan la mano de un autor excepcional, buen conocedor de las fórmulas plásticas de su tiempo. Entre todos destacan por su naturalismo los tres historiados dedicados a plasmar escenas de la Historia de Job, de la Pasión y de la Resurrección de Cristo, advirtiéndose que en el primer caso se representan pasajes que después se repetirían en la galería oriental del claustro gótico de la misma Catedral, galería edificada en tiempos del notable prelado y mecenas de las artes, don Arnaldo de Barbazán (1318-1355).

Del antiguo Hospital de San Lázaro, en la ciudad de Estella, procede un tímpano, esculpido en caliza, que se decora con un crismón en relieve, según modelos tradicionales en la estética románica; una inscripción situada debajo recuerda que fue labrado por Aldebertus, en tiempos del rey García Ramírez (1135-1150).

Pertenecen al estilo Gótico destacados ejemplos de obras artísticas en el campo de la escultura, pintura y orfebrería que evidencian la riqueza cultural alcanzada por Navarra durante la Baja Edad Media. Las distintas corrientes artísticas, septentrionales y meridionales, que confluyen en territorio navarro durante los siglos XIV y XV, justificadas por la geografía y por la historia, fructificarían en realizaciones de exquisita factura cuya influencia se detecta en los reinos que le son vecinos, Aragón y Castilla, fundamentalmente.

De la iglesia de San Pedro de la Rúa en Estella procede una imagen en piedra, de notable tamaño, que representa a un santo Obispo en posición genuflexa. Es obra de acusada estilización formal, reflejo del idealismo francogótico de comienzos del siglo XIV. Mayor atractivo poseen dos estatuas en piedra (1,69 y 1,70 m de alto, respectivamente) que pudieron formar grupo en el castillo de Olite de donde proceden. La esbeltez de sus cuerpos y la elegancia de sus ropajes, plegados armoniosamente hasta el suelo, denotan la participación de un taller real formado en el ambiente internacional surgido en torno a las obras del claustro gótico de la Catedral de Pamplona. Al taller escultórico catedralicio del siglo XIV cabe atribuir, además, dos deliciosas cabecitas hechas en piedra en las que todavía se reconocen vestigios de policromía.

La escultura del siglo XV, con la temprana llegada de artistas francoborgoñones promovida por el rey Carlos III el Noble, se halla representada por un conjunto de obras de importancia. Dentro de la escultura funeraria cabe mencionar el sepulcro de la princesa doña Juana, fallecida en 1425, hija de la reina doña Blanca de Navarra y del Infante don Juan de Aragón, que fue enterrada en la iglesia de San Francisco de Tudela de donde procede. Corresponde a un modelo de sarcófago pétreo, apoyado sobre cuatro leones y ornado en sus costados con los escudos de Aragón y de Navarra. A la misma corriente septentrional europea pertenece la efigie de doña Teresa Palomeque, esposa de don Gonzalvo de Baquedano que fue nombrado por el rey Carlos III Merino Mayor de la merindad de Estella, en 1407. El noble matrimonio fue sepultado en la iglesia del Monasterio de Santo Domingo de Estella y de allí procede la imagen yacente de ella, realizada con probabilidad algunos años antes de 1438, fecha de su fallecimiento. La encantadora imagen (74 cm) de la Virgen con el Niño al que alimenta con su pecho, finamente tallada en alabastro, que estuvo en el convento de San Francisco de Olite, es ejemplo de la fuerte influencia borgoñona que afectó a los talleres escultóricos de Navarra durante la primera mitad del siglo XV.

A los siglos XIV y XV pertenecen algunos notables ejemplos de imágenes devocionales en madera policromada entre los que destacan un grupo con Santa Ana, la Virgen y el Niño (siglo XIV) y un Crucificado de tres clavos (siglo XV) que procede de la ermita de Santa Fe de Ezcániz (merindad de Sangüesa).

En pintura mural y sobre tabla el Museo de Navarra es poseedor de una de las colecciones más importantes de la Península, con fondos procedentes de distintos lugares de Navarra y de la Catedral de Pamplona. Se inicia la colección con los murales que decoraban las cabeceras de las iglesias de San Martín en Artaiz y de San Saturnino en Artajona, y la zona superior de la capilla de la Virgen del Campanal en la iglesia de San Pedro de Olite, pertenecientes a la primera fase del gótico (c. 1300), que mantienen aún rasgos neobizantinos en su iconografía y un estilo bidimensional muy acusado. Seguidamente se encuentran las pinturas que proceden de los muros del claustro gótico de la Catedral de Pamplona, entre las que destaca por su gran calidad y belleza, la pintura mural del testero del refectorio, dedicada a la Pasión de Cristo, que llevó a cabo el pintor Juan Oliver, en el año 1333. Algo antes de esa fecha cabe situar la decoración mural que hubo en el mismo claustro, junto a la "Puerta Preciosa", dedicada a narrar figurativamente el Himno de Venancio Fortunato, obispo de Poitiers (597-600), en la que hay que lamentar la pérdida del extracto pictórico y oxidación de los colores por efectos de la humedad. En la década de los años 40 dentro del siglo XIV, un pintor llamado Roque firmó y dató sendos murales ubicados en los lados del presbiterio de la citada iglesia de San Saturnino de Artajona. El del lado meridional o de la epístola, expuesto en el Museo, representa una leyenda tolosana protagonizada por la reliquia de San Saturnino, muy popular en el Languedoc y justificada en Artajona por pertenecer su iglesia de San Saturnino al Cabildo de Saint-Sernin de Toulouse desde los tiempos del obispo de Pamplona don Pedro de Roda (1083-1115). La evolución estilística hacia el italianismo toscano trecentista queda representada por los restos del retablo mural de Santa María de Olite que se encontraba en la zona baja de la capilla de la Virgen del Campanal en San Pedro de Olite. Atribuido al denominado convencionalmente "Segundo Maestro de Olite", representa pasajes de la Vida de la Virgen María e Infancia de Cristo, desde la Anunciación hasta el Niño perdido y hallado en el Templo, más dos escenas de la Leyenda de Sansón, La Venganza de Sansón desarraigando un árbol, y Sansón abriendo la boca del león; que simbolizan respectivamente, la Resurrección de Cristo y su triunfo frente a Satán. La tradición artística italiana está bien representada con la decoración pictórica que decoraba el nicho sepulcral del obispo don Miguel Sánchiz de Asiain (1357-1364) procedente del lado meridional del claustro de la Catedral de Pamplona. Su rica iconografía mariana, Natividad de María, su Presentación en el templo y su Intercesión junto con la de su Hijo ante Dios Padre en el Juicio Final, y la delicadeza de su dibujo y policromía, la convierten en una de las creaciones más atractivas del siglo XIV en Navarra. Mayor tosquedad presentan los fragmentos murales que se encontraban configurando la decoración de la capilla mayor de la iglesia de San Salvador de Gallipienzo, dedicados a la Infancia y a la Pasión de Cristo, aunque ofrezcan el interés de haber sido recubiertos con una nueva decoración en la centuria siguiente (siglo XV), expuesta también en el Museo, con lo que se puede apreciar fácilmente la diferencia de estilo y cronología. Del siglo XV se muestran también los murales que decoraban la iglesia de la Asunción de Olleta, entre los que destaca, por su carácter monumental y sentido decorativo, un San Cristóbal con el Niño que se encontraba encima de la puerta de ingreso.

En pintura sobre tabla cabe recordar, por su fecha temprana (c. 1400), los tres retablos de la advocación de la Virgen con el Niño, de San Juan Bautista y de San Blas que, junto con uno dedicado a San Bartolomé, custodiado en el Museo de Arte de Cataluña (Barcelona), formaron parte de una misma serie y proceden de un mismo lugar. Son obras interesantes por el sentido narrativo de sus escenas en las que un cierto arcaísmo estilístico no impide reconocer su proximidad a los postulados estéticos del estilo Gótico Internacional. Más avanzado cronológicamente, dentro del siglo XV, es un tríptico dedicado a la Virgen con el Niño en posición sedente a la que acompañan en los lados las figuras erguidas y de rasgos juveniles de San Miguel Arcángel alanceando a Satán en forma de dragón y de San Jorge al que acompañan una pareja de donantes arrodillados. De la localidad de Navascués proceden cuatro tablas, parte de un mismo retablo, dedicadas a los apóstoles Pedro, Pablo y Andrés, pinturas de contenida expresividad y suave colorido, que nos acercan al naturalismo aragonés del tercer cuarto del siglo XV. El realismo flamenco del último gótico se encuentra representado por una serie de tablas de distinta procedencia que ayudan a comprender mejor el final de la Edad Media y los comienzos del Renacimiento. De los Países Bajos procede una pintura sobre tabla dedicada a Cristo, Varón de Dolores, realizada al óleo con gran riqueza de detalles, que cabe atribuir al pintor llamado convencionalmente "Maestro de la Virgo inter Virgines" (Maestro de la Virgen entre Vírgenes) que habría residido en la localidad holandesa de Delft entre los años 1470 y 1520. A la escuela levantina ha sido atribuida una tabla, parte de un retablo, con la figura erguida de San Antonio de Padua sobre fondo de brocado, vestido con hábito franciscano y portador de un plato con un racimo de uvas, uno de sus atributos característicos, en la mano derecha. Es obra de tendencia hispanoflamenca que procede de Calatayud (Zaragoza), en la que se advierten influjos castellanos tanto en la interpretación del rostro, de asombroso verismo, como en la rotunda plasticidad de los pliegues de su hábito.

De la capilla que el obispo de Tarazona (Zaragoza) don Andrés Ferriz (1486-1490) mandó edificar en la girola de la Seo turiasonense, procede una tabla pintada al óleo con el Martirio de San Andrés apóstol, parte del retablo titular desaparecido que realizó el notable pintor de la última etapa del Gótico en Aragón y Navarra, Pedro Díaz de Oviedo (doc. 1487-1510), artista de fuerte personalidad al interpretar los modelos del naturalismo flamenco y germánico.

Lápida con Inscripción. Villatuerta

Lápida en piedra arenisca

56,5 x 107,5 x 14 cm

Procedencia: ermita de San Miguel de Villatuerta

Siglo X, entre 971 y 978, reinando Sancho II Abarca y siendo Blasco obispo de Pamplona

Fecha de ingreso en el Museo: 1954

El epígrafe es el siguiente:
IN DE (i nomine Famu) LO D(omi) NI
S(an)C(t)I MIKAELI D(omi)NO
IN(no)M(i)NE D(omi)NI N(o)S(tr)I IH(os)V
X(ris)P(t)I SANCIO REGI
S(an)C(t)I MIKAEL(is) D(omi)NO BLASCIO
D(omi) NO SANCIO ACTO NOMEN MAG
ESTRI FECIT BELENG(u)ERES ESCRIPSIT

Sarcófago. Cataláin

Tapadera de sarcófago en piedra

233 x 92 cm

Procedencia: ermita de Cataláin

Siglo XIV

Fecha de ingreso en el Museo: 1982

Tapadera de sarcófago gótico con relieves, de estilo popular y muy retardatario.

Relieve prerrománico. Villatuerta

Relieve arcaico en piedra arenisca

44 x 26 x 22 cm

Procedencia: ermita de San Miguel de Villatuerta

Siglo X (último tercio)

Fecha de ingreso en el Museo: 1954

Representa un mono con los pies cruzados.

Relieves prerrománicos. Villatuerta

Relieves arcaicos en piedra arenisca

Procedencia: ermita de San Miguel de Villatuerta

Siglo X (último tercio)

Fecha de ingreso en el Museo: 1954

43 x 44 x 20 cm

Representación de Cristo en la Cruz, con barba partida y túnica cortada.

54 x 40 x 15 cm

Representación de San Miguel con alas desplegadas y brazos en alto, figura que luego se hará popular en el arte local navarro. Es la primera representación escultórica de San Miguel en el arte español del siglo X.

39 x 37 x 11 cm

Representa una figura de ave (¿gallo?).

83 x 56 x 19 cm

Figura humana con los brazos en alto y los puños cerrados en actitud de oración.

45 x 41 x 24 cm

Representa un obispo a caballo. Tema clásico del predicador andariego.

63 x 95 x 32 cm

Escena en la que aparecen dos personajes, el de la derecha porta una gran cruz y el otro, probablemente un obispo, presenta los brazos simétricamente elevados con las manos abiertas llevando en la izquierda lo que pudiera ser un manípulo, la estructura central se interpretaría como una pequeña pila bautismal.

Capitel románico. Sangüesa

Capitel sencillo en piedra caliza

Procedencia: Iglesia de San Nicolás (Sangüesa)

Altura: 31 cm, longitud máxima: 24,5 cm, longitud base: 18 cm

Autor: Taller del Maestro Esteban

Siglo XII (primera mitad)

Fecha de ingreso en el Museo: 1954

Presenta adaptado al marco arquitectónico el capitel un tema característico del Románico, de monstruos devorando a seres humanos.

Tímpano románico. Estella

Tímpano con crismón y leyenda realizado en piedra arenisca

Procedencia: Hospital de San Lázaro (Estella)

Autor: Aldebertus

57 x 106 cm

Siglo XII: (Reinado de García Ramírez 1135-1150)

Fecha de ingreso en el Museo: 1954

Presenta un crismón jaqués y varias inscripciones semiborradas con las siguientes leyendas:
+IN NOMINE PATRIS ET FILII ET SPIRITUS SANTI: AMEN. ALDEBERTUS ME FECIT (en la orla del clipeo). IN DEI NOMINE AMEN: GARCIA REX DEDIT ISTAN
VINEAN PRO SUA ANIMA AD SANCTUM MICHAELUM ARCHANGELUM (en una banda en la parte inferior) ADSCO LASARUM (semiborrado en el lateral izquierdo)

Taller del Maestro Esteban

Ménsula en piedra arenisca

45,5 x 40 x 54 cm

Procedencia: Catedral de Pamplona

Siglo XII (primer tercio)

Fecha de ingreso en el Museo: 1954. Donativo del Cabildo de la Catedral de Pamplona.

Escultura en altorrelieve. Cabeza de león e inscripción lateral:
C* INCARNATI DE VIRGINE
TEMPRE XRISTI

Taller del Maestro Esteban

Ménsula en piedra arenisca

45,5 x 40 x 62 cm

Procedencia: Catedral de Pamplona

Siglo XII (primer tercio)

Fecha de ingreso en el Museo: 1954. Donativo del Cabildo de la Catedral de Pamplona.

Escultura en altorrelieve. Representa un mosntruo devorando a una persona.

Maestro del Claustro de la Catedral de Pamplona

Capitel románico, doble, exento, en piedra caliza

Altura: 31 cm, longitud máxima: 46 cm, anchura máxima: 30 cm, diámetro base: 18 cm

Procedencia: claustro románico de la Catedral de Pamplona

Siglo XII (1140-1150)

Fecha de ingreso en el Museo: 1948. Donativo del Cabildo de la Catedral de Pamplona.

La decoración está formada por altorrelieves con detalles a buril. Se compone de escenas de la Pasión de Cristo: El Prendimiento con el pasaje del Beso de Judas, San Pedro y Malco, el Beso de Judas, Jesús saliendo de la casa de Anás y Caifás, el Buen y el Mal Ladrón, la Crucifixión en el Calvario.

Es de destacar el naturalismo semejante a obras norte-italianas y el claro influjo de las tallas de marfil.

Maestro del Claustro de la Catedral de Pamplona

Capitel románico doble, exento, en piedra caliza

Altura: 31 cm, diámetro base: 18 cm

Procedencia: claustro románico de la Catedral de Pamplona

Siglo XII (1140-1150)

Fecha de ingreso en el Museo: 1948. Donativo del Cabildo de la Catedral de Pamplona

La decoración está formada por relieves con detalles a buril. Se compone de escenas de la Pasión y Pascua de Cristo: El Descendimiento, el Santo Entierro, las Marías ante el sepulcro y María Magdalena desolada en busca de San Pedro.

Es de destacar el naturalismo, semejante a obras norte-italianas y el claro influjo de las tallas de marfil.

Maestro del Claustro de la Catedral de Pamplona

Capitel románico doble, exento, en piedra caliza

Altura: 31 cm, longitud máxima: 46 cm, anchura máxima: 30 cm, diámetro base: 18 cm

Procedencia: claustro románico de la Catedral de Pamplona

Siglo XII (1140-1150)

Fecha de ingreso en el Museo: 1948. Donativo del Cabildo de la Catedral de Pamplona.

La decoración está formada por altorrelieve y detalles a buril. Se compone de escenas sobre la historia de la vida de Job: la conversación del Señor y Satán y debajo Job y sus hijos celebrando un banquete; Job orando, los mensajeros le anuncian sus desgracias y destrucción de sus rebaños, el viento del desierto destruye la casa donde banquetean los hijos de Job; Job con lepra es visitado por sus amigos y su mujer, el Señor le anuncia el final de sus padecimientos.

Es de destacar el naturalismo, con claro influjo de las tallas de marfil.

Taller de Pamplona

Capitel románico doble, exento,
en piedra caliza

Altura: 31 cm, longitud máxima: 46 cm,
anchura máxima: 30 cm, diámetro base:
18 cm

Procedencia: claustro románico de la Catedral
de Pamplona

Siglo XII (primera mitad)

Fecha de ingreso en el Museo: 1954. Donado
por el Cabildo de la Catedral de Pamplona

La decoración está formada por parejas de
tallos simples sin folículos, formando cesta,
rellenos de vanos de piñas y manojos de
zarcillos de vid, parejas de hojas agudas y
nervio destacado en los muñones centrales de
la parte superior. Constituye el único enlace
seguro con la obra del Maestro Esteban y su
continuación en el siglo XII.

Taller de Pamplona

Capitel románico doble, exento,
en piedra caliza

Altura: 31 cm, longitud máxima: 46 cm,
anchura máxima: 30 cm, diámetro base:
18 cm

Procedencia: claustro románico de la Catedral
de Pamplona

Siglo XII (primera mitad)

Fecha de ingreso en el Museo: 1954.
Donativo del Cabildo de la Catedral de
Pamplona

Está realizado en altorrelieve con detalles a
buril. La decoración es de grandes elementos
vegetales, asomando entre ellos figuras
humanas en los ángulos y animales en la parte
central. El friso de meandros que corona el
capitel es su nota distintiva. El ábaco es de
forma prismática decorado con guirnalda
vegetal.

Taller de Pamplona

Capitel románico doble, exento

Altura: 31 cm, longitud máxima: 30 cm, anchura máxima: 30 cm

Procedencia: claustro de la Catedral de Pamplona

Siglo XII (primera mitad)

Fecha de ingreso en el Museo: 1954. Donativo del Cabildo de la Catedral de Pamplona

La decoración está formada por hojas y entrelazos de excelente calidad artística. Presenta pequeñas zonas deterioradas.

Taller de Pamplona

Capitel románico doble, exento, en piedra caliza

Altura: 31 cm, longitud máxima: 46 cm, anchura máxima: 30 cm, diámetro máximo: 18 cm

Procedencia: claustro románico de la Catedral de Pamplona

Siglo XII (primera mitad)

Fecha de ingreso en el Museo: 1954. Donativo del Cabildo de la Catedral de Pamplona.

La decoración forma doble corona. La inferior con tallos triples, zarcillos y pequeñas volutas de fina labra y la superior con grandes volutas molduradas.

Maestro Esteban, arquitecto y escultor del Camino de Santiago

Capitel románico adosado, realizado en piedra arenisca

48 x 55 x 39 cm

Procedencia: fachada románica de la Catedral de Pamplona

Siglo XII (1101-1127)

Fecha de ingreso en el Museo: 1954. Donado por el Cabildo de la Catedral de Pamplona

Capitel adosado que presenta, labrado en altorrelieve, un lazo sin fin.

Maestro Esteban, arquitecto y escultor del Camino de Santiago

Capitel románico adosado realizado en piedra arenisca

44 x 54,5 x 40 cm

Procedencia: Catedral de Pamplona

Siglo XII (1101-1127)

Fecha de ingreso en el Museo: 1954. Donativo del Cabildo de la Catedral de Pamplona

Representa unas aves de marcado plumaje y grandes picos. Perfecta ejecución.

Maestro Esteban, arquitecto y escultor
del Camino de Santiago

Escultura románica en piedra arenisca

62 x 38 x 16 cm

Procedencia: Catedral de Pamplona

Siglo XII (1101-1127)

Fecha de ingreso en el Museo: 1954.
Donativo del Cabildo de la Catedral de
Pamplona

Representa una figura femenina. El ropaje se
adorna con orla en escote y borde de la falda.

Maestro Esteban, arquitecto y escultor
del Camino de Santiago

Fragmento de escultura románica
en piedra arenisca

64 x 25 x 19 cm

Procedencia: Catedral de Pamplona

Siglo XII (1101-1127)

Fecha de ingreso en el Museo: 1954.
Donativo del Cabildo de la Catedral de
Pamplona

Representa la figura de un zapatero en
altorrelieve.

Maestro Faray y sus discípulos

Arqueta hispano-musulmana de marfil

Altura: 23 cm, longitud: de 30 a 38,5 cm, anchura: 23,5 cm

Procedencia: Monasterio de Leire

Autor: Son cinco artistas, uno por cada cara de la arqueta, donde aparecen las firmas. Taller de Córdoba

MAESTRO FARAY (cubierta)
MISGAN (frente anterior)
RASID (lateral izquierdo)
JAIR (Frente posterior)
SA ABADA (lateral derecho)

Año 395 de la Hégira (1004-1005 d. C.)

Fecha de ingreso en el Museo: 1966

Al exterior lleva una leyenda que dice así: *En el nombre de Alláh Prosperidad, Alegría, Esperanza de obras buenas, Retraso del momento supremo para el Hayib Saif Al-Dawin ABD Al-Malik IBN al Mansur (hijo de Almanzor). Dios le asista, de lo que mandó hacer por orden suya bajo la dirección del Fata Al-Kabir Zuhayr ibn Muhammad Al-amiri su esclavo Año cinco y noventa y trescientos.*
En su interior otra leyenda:
Fue hecho por Faray con sus discípulos.

La decoración profusa forma medallones polilobulados, conteniendo escenas con figuración humana y animales.

Se trata de una pieza excepcional de la eboraria hispánica, tanto por su calidad como por sus dimensiones.

Almena. Tudela

Almena dentada y escalonada en piedra caliza

Arte hispano-musulmán

Altura: 51 cm, longitud máxima: 23 cm, anchura: 20 cm

Procedencia: Catedral de Tudela

Fecha de ingreso: 1954

Esta almena es semejante a las que rematan la gran mezquita de Córdoba, aunque más esbelta. Elemento procedente de la antigua Mezquita de Tudela.

Sillar decorado. Tudela

Sillar decorado (jamba) en piedra caliza gris

Arte hispano-musulmán. Frontera superior

Altura: 111 cm, longitud: 38-40 cm, anchura: 38 cm

Procedencia: Catedral de Tudela. Resto de la antigua Mezquita

Fecha de ingreso en el Museo: 1954

La decoración es geométrica en dos planos. Cuadrícula doble forrada a base de svásticasa y meandros.

Capitel. Tudela

Capitel exento de piedra caliza, casi marmórea

Arte hispano musulmán. Frontera superior

Altura: 40 cm, diámetro superior: 40 cm, diámetro inferior: 26 cm

Procedencia: Catedral de Tudela. Resto de la antigua Mezquita

Siglo IX

Fecha de ingreso en el Museo: 1954

Se nota la influencia del orden corintio clásico. En la parte inferior lleva corona de hojas carnosas y en la superior grandes hojas de palma talladas a bisel.

Capitel. Tudela

Capitel exento en alabastro gris

Arte hispano-musulmán

Altura: 31 cm, diámetro superior: 20 cm, diámetro inferior: 13 cm

Procedencia: claustro de la Catedral de Tudela. Resto de la antigua Mezquita

Fecha de ingreso en el Museo: 1954

Se nota la influencia de la estructura del capitel de orden corintio clásico, aunque en proporciones alargadísimas. Se compone de dos coronas de hojas superpuestas. Estas hojas van profusamente adornadas con motivos geométricos.

Capitel. Tudela

Capitel exento de piedra caliza, casi marmórea

Arte hispano-musulmán. Frontera superior

Altura: 18 cm, diámetro superior: 19 cm, diámetro inferior: 16 cm

Procedencia: Catedral de Tudela. Resto de la antigua Mezquita

Fecha de ingreso en el Museo: 1954

En la parte inferior lleva corona de hojas carnosas y en la superior grandes hojas de palma talladas a bisel.

Cimacio. Tudela

Arte musulmán, cimacio o basa en piedra caliza

Altura: 15,5 cm, diámetro superior: 25 cm, diámetro inferior: 15 cm

Procedencia: claustro de la Catedral de Tudela

Siglo IX

Fecha de ingreso en el Museo: 1954

Tiene forma de tronco de pirámide invertido, decorado con triángulos y aspas.

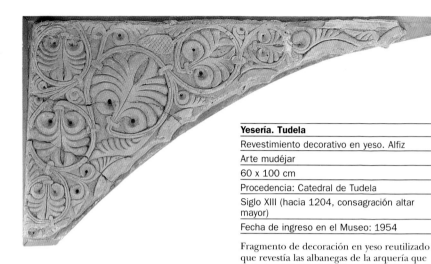

Yesería. Tudela

Revestimiento decorativo en yeso. Alfiz

Arte mudéjar

60 x 100 cm

Procedencia: Catedral de Tudela

Siglo XIII (hacia 1204, consagración altar mayor)

Fecha de ingreso en el Museo: 1954

Fragmento de decoración en yeso reutilizado que revestía las albanegas de la arquería que rodeaba el ábside de la Catedral de Tudela. La decoración forma guirnaldas con palmetas y piñas.

Yesería. Tudela

Revestimiento decorativo en yeso. Alfiz

Arte mudéjar

58 x 56 cm

Procedencia: Catedral de Tudela

Siglo XIII (hacia 1204).

Fecha de ingreso en el Museo: 1954

Fragmento de decoración reutilizado que revestía las albanegas del ábside de la Catedral. La decoración se compone de palmetas.

Yesería. Tudela

Revestimiento decorativo en yeso. Alfiz

Arte mudéjar

63 x 55 cm

Procedencia: Catedral de Tudela

Siglo XIII (hacia 1204, consagración del altar mayor)

Fecha de ingreso en el Museo: 1954

Fragmento de decoración en yeso reutilizado que revestía las albanegas de la arquería que rodeaba por dentro el ábside de la Catedral. La decoración forma guirnalda de tallo doble con palmetas y piñas.

Modillón. Tudela

Modillón de alero en alabastro impuro

Arte hispano-musulmán. Frontera superior

Altura: 38 cm, longitud: 38 cm,
anchura: 35 cm. Roto en sus extremos

Procedencia: Catedral de Tudela. Resto de la
antigua Mezquita

Fecha de ingreso en el Museo: 1954

Modillón de tipo cordobés, con cuatro rollos
cilíndricos. Decoración en los costados de
ramajes con hojas y palmetas dentro de aros.
Talla a bisel de tradición bizantina.

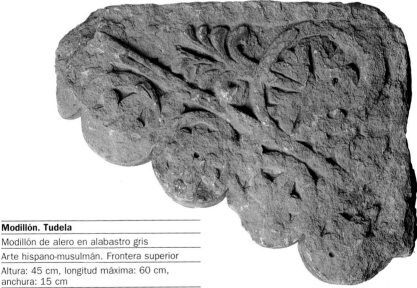

Modillón. Tudela

Modillón de alero en alabastro gris

Arte hispano-musulmán. Frontera superior

Altura: 45 cm, longitud máxima: 60 cm,
anchura: 15 cm

Procedencia: Catedral de Tudela. Resto de la
antigua Mezquita

Fecha de ingreso en el Museo: 1954

Modillón de tipo cordobés con cinco rollos,
uno de ellos deteriorado. Influjo bizantino:
rosetas, tallos, hojas y plantas, talladas a bisel.

Pintura mural gótica

El árbol de Jesé

Pintura mural gótica al fresco con retoques al temple después del fraguado

Procedencia: claustro de la Catedral de Pamplona

605 x 414 cm

Siglo XIV (anterior a 1330)

Fecha de ingreso en el Museo: 1955

La obra se desarrolla con un plan marcadamente geométrico. Una línea vertical divide la superficie en dos partes. Este eje simula un árbol de esbelto tronco cuyas ramificaciones se inician a la altura de la base. La zona inferior está compuesta por dos escenas: la Anunciación y la Epifanía, entre las que aparecen a ambos lados del tronco dos esbeltas figuras de reyes. Una segunda zona horizontal muestra al centro la Virgen con el Niño en brazos, y a ambos lados tres figuras de reyes con filacterias. En otra zona inmediatamente superior, en el centro, está Cristo en la Cruz, entre las figuras de la Virgen y San Juan y nuevamente figuras de reyes. Finalmente, en la parte más alta, una representación de la Trinidad entre dos ángeles.

Versión pictórica del texto del Himno de la Cruz de Venancio Fortunato; creado para el día de Viernes Santo, sus versos se acomodan perfectamente a la representaciones.

En 1944-47, J. Gudiol y su equipo, realizaron los trabajos de limpieza, restauración, arranque y traslado al lienzo.

Detalle

Detalle

Sagrario gótico. Metauten

Sagrario exento en piedra labrada

Altura: 250 cm

Procedencia: Metauten

Siglo XV

Fecha de ingreso en el Museo: 1955

Juan Oliver

Pasión de Cristo

Pintura mural gótica al fresco

615 x 374 cm

Procedencia: refectorio de la Catedral de Pamplona

Siglo XIV (1330)

Fecha de ingreso en el Museo: 1955

Recuerda a un retablo, a modo de gran tapiz policromo, que quedaba perfectamente encajado en su lugar de origen. El tema de esta gran composición es el de la Pasión de Cristo. El pintor ha elegido para su relato aquellas escenas más representativas y las ha distribuido armoniosamente en zonas horizontales superpuestas, enmarcando la totalidad con una ancha banda constituida por espacios rectangulares con figuras de profetas relacionadas con el motivo central. En la parte superior se representan las escenas de la

Detalle

Detalle

Detalle

Flagelación y Camino del Calvario.

La zona central está ocupada por el tema principal de la composición, la escena de la Crucifixión, con gran número de figuras, perfectamente distribuidas en el espacio rectangular. Por debajo, las escenas del Entierro y Resurrección. Finalmente, la parte inferior está formada por una serie de motivos heráldicos escoltados por figuras de cuerpo entero tañendo diversos instrumentos musi ales, limitando por su parte inferior con un leyenda en caracteres góticos, en la que se incluye el nombre de quien encarga la obra, el del artista que la llevaba a cabo y la fecha de su elaboración, 1330: «ANNO DOMINI M: CCC: XXX EGO DOMINUS IOHANNES PETRI DE STELLA ARCHIDIACONUS SANCTI PETRI DE OSUN FUIT OPERARIUS ECCLESIE BEATE MARIE PAMPILINENSIS FECIT FIERI ISTUD REFECTORIUM ET IOHANES OLIVERI DEPINXIT ISTUD OPUS».

En 1944-47, J. Gudiol y su equipo realizaron los trabajos de limpieza, restauración, arranque y traslado al lienzo.

Detalle

Detalle

Detalle

Detalle

Detalle

Maestro de Artajona

Juicio Final

Pintura mural gótica al fresco

572 x 398 cm

Procedencia: Iglesia de El Cerco de Artajona

Siglo XIII (último cuarto)

Fecha de ingreso en el Museo: 1955

Se observa en esta pintura el predominio que
en ella tiene el dibujo sobre el color, siguiendo
una composición rigurosamente simétrica.
El carácter monumental de esta obra es
evidente y obedece a una tradición románico-
bizantina, aunque el artista conoce ya las
nuevas corrientes del gótico. El tema
desarrollado parece corresponder a la escena
del Juicio Final. La parte central, está ocupada
por la figura sedente de Cristo con la Cruz, de
la que se conserva sólo la parte inferior.
A ambos lados de Cristo, en un plano inferior,
están de pie las figuras de dos ángeles,
llevando en sus manos los atributos de la
pasión. En la zona inferior, correspondiendo
exactamente con la figura de Cristo, se abre la
ventana, que simula una falsa vidriera y a uno y
otro lado, las figuras de los Apóstoles Pedro y
Pablo con sus respectivos símbolos.
En 1944-47, J. Gudiol y su equipo,
realizaron los trabajos de limpieza,
restauración, arranque y traslado al lienzo.

Maestro de la Escuela de Avignon

Juicio Final

Pintura mural gótica al fresco con influencias italianizantes

398,5 x 230 cm

Procedencia: claustro de la Catedral de Pamplona

Siglo XIV (segunda mitad)

Fecha de ingreso en el Museo: 1955

Decoraba el arcosolio de la tumba del Obispo Miguel Sánchez de Asiáin (1357-1364).

En el testero aparece la escena del Juicio Final con el Juez Supremo rodeado de ángeles, escuchando los ruegos de su Hijo y de la Virgen, que ofrece su pecho y señala un grupo de suplicantes, hombres y mujeres, esperando el juicio definitivo. En la parte baja, flanqueando la imagen de piedra de una Virgen, sobre el escudo del Obispo, aparecen las escenas del Nacimiento de la Virgen, de su Presentación en el templo y las figuras arrodilladas de un caballero y del Obispo titular del sepulcro. Medallones con profetas entre hojarascas y frisos geométricos decoran el sofito de este arcosolio.

El autor de esta pintura consigue dentro de una ordenada simetría, un efecto libre y natural. Parece ser conocedor del estilo de los talleres de pintura italiana, especialmente de la escuela de Siena.

Respecto a su fecha, ha de ser posterior a 1357, en que Miguel Sánchez de Asiáin ocupa la sede de Pamplona, o quizás a su muerte, en 1364.

Virgen con el niño

Talla gótica en madera policromada

Altura: 128 cm

Siglo XV (finales)

Fecha de ingreso en el Museo: 1980

Bello ejemplar de escultura gótica hispano-
flamenca que nos muestra a la Virgen erguida
con el Niño. La imagen se inclina en una
elegante curva que ritma con la cadencia de
los plegados y la sinuosidad de los ondulados
cabellos.

Pedro Díaz de Oviedo

Martirio de San Andrés

Pintura sobre tabla de estilo hispano-flamenco

123 x 90 cm

Procedencia: Catedral de Tarazona

Siglo XV (finales)

Fecha de ingreso en el Museo: 1963

Tabla perteneciente al retablo de la capilla de San Andrés, fechado entre 1486 y 1490.

Crucificado gótico

Talla en bulto redondo de madera policromada

200 x 130 cm

Procedencia: ermita de Santa Fe de Ezcániz

Siglo XV

Fecha de ingreso en el Museo: 1960

Le falta el madero de la Cruz. Los detalles anatómicos están muy marcados y los cabellos y barba individualizados. El paño de pureza largo hasta las rodillas se quiebra en pliegues angulosos.

Anónimo (Escuela franco-navarra)

Retablo de San Blas

Pintura al temple sobre tabla

129 x 100 cm

Procedencia: Colección Deering (Tamarit, Tarragona)

Siglo XIV-XV (hacia 1400)

Fecha de ingreso en el Museo: 1986

Estilo arcaizante. Posible procedencia del taller de Pamplona, aunque próximo a los postulados estéticos del Gótico Internacional. Se compone de una calle central ocupada por la figura de San Blas y dos calles laterales con escenas de su vida y martirio.

Anónimo (Escuela franco-navarra)

Retablo de San Juan Bautista

Pintura al temple sobre tabla

129 x 82 cm

Procedencia: Colección Deering (Tamarit, Tarragona)

Siglos XIV-XV (hacia 1400)

Fecha de ingreso en el Museo: 1986

Pintura de estilo arcaizante, probablemente del taller de Pamplona, aunque próximo a los postulados estéticos del Gótico Internacional. Se compone de dos calles con dos registros, cada uno con escenas de la vida del santo titular.

Anónimo (Escuela franco-navarra)

Retablo de la Virgen

Pintura al temple sobre tabla

130 x 119 cm

Procedencia: Colección Deering (Tamarit, Tarragona)

Siglo XIV-XV (hacia 1400)

Fecha de ingreso en el Museo: 1986

Pintura de estilo arcaizante y de posible procedencia navarra (taller de Pamplona). Tiene relación con el maestro de los murales de la Iglesia de San Nicolás de Pamplona. Predomina la tendencia franco-gótica, con colores básicos rojos y azules. Se compone de una calle central ocupada por la figura de la Virgen y dos calles laterales que narran escenas de los últimos momentos de su vida.

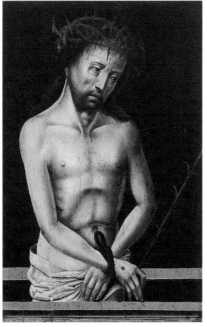

Anónimo

Tríptico sobre tabla. Pintura navarro-francesa de estilo gótico internacional

Temple sobre tabla

80 x 75 cm

Siglo XV (segundo tercio)

Tríptico con la Virgen y el Niño al centro y a su izquierda San Miguel y a la derecha San Jorge con los donantes a sus pies. Estos últimos figuran de rodillas y en tamaño mucho menor.

Anónimo

Ecce Homo

Técnica mixta sobre tabla

43 x 28 cm

Siglo XV (finales)

Fecha de ingreso en el Museo: 1975

Anónimo

Temple sobre tabla. Cuatro tablas
pertenecientes a un retablo de estilo gótico
hispano-flamenco

Tablas superiores 80 x 53 cm,
tablas inferiores 65 x 53 cm

Procedencia: Navascués

Siglo XV (1460-70)

Fecha de ingreso en el Museo: 1959

Representa a San Pedro y a San Andrés, la
aparición de Cristo a San Pedro y el martirio
de San Andrés.

Anónimo

San Antonio de Padua

Pintura al temple al huevo sobre tabla

183 x 102 cm

Procedencia: Calatayud (Zaragoza)

Siglo XV (1485-90)

Fecha de ingreso en el Museo: 1956

Figura en pie de San Antonio sobre fondo de brocado, con hábito franciscano, portando en la mano derecha un plato con un tallo de vid con uvas, uno de sus atributos característicos.

Obra de tendencia hispano-flamenca con asombroso verismo en el rostro.

Maestro de Artajona

Colegio Apostólico

Pintura mural gótica al fresco

194 x 255 cm

Procedencia: Iglesia del Cerco de Artajona

Siglo XIII (último cuarto)

Fecha de ingreso en el Museo: 1955

66 x 171 cm

Pertenece a la pintura navarra de transición al gótico. Representa al Colegio Apostólico, sentado y vuelto respetuosamente hacia la derecha. Son los Apóstoles que hacen el oficio de asesores de Cristo Juez según el relato evangélico.

Sólo pueden verse ocho figuras completas, cuyo gesto es igual, vueltas de medio lado y con las manos juntas en actitud de oración. Visten togas y mantos.

Detalle

Figura togada

Escultura gótica en piedra. Bulto redondo

Altura: 168 cm

Procedencia: Castillo de Olite

Siglo XIV

Fecha de ingreso en el Museo: 1955

Figura togada

Escultura gótica en piedra. Bulto redondo

Altura: 171 cm

Procedencia: Castillo de Olite

Siglo XIV

Fecha de ingreso en el Museo: 1955

Esculturas de extraordinaria calidad. Elegancia en el plegado de paños. Formas cóncavas, flexibles e idealizadas. Les faltan la cabeza y las manos.

Cabezas

Esculturas de bulto redondo en piedra
sin policromar.
Estilo gótico de influencia borgoñona

Virgen: 17 cm, San Juan: 20 cm

Siglo XV (primer tercio)

Fecha de ingreso en el Museo: 1965

Estos fragmentos escultóricos pueden haber
formado parte de la Déesis de un Calvario
procedente de la Catedral de Pamplona.

Maestro Roque de Artajona

Historia de San Saturnino

Pintura mural gótica al fresco.
Trasladada al lienzo

162 x 346 cm

Procedencia: Iglesia de El Cerco de Artajona

Siglo XIV (1340)

Fecha de ingreso en el Museo: 1955

Pertenece al estilo franco-gótico o lineal,
siguiendo a J. Oliver.

Representa la historia de San Saturnino en
varias escenas. La pintura se halla dispuesta
según ordenación geométrica en la que bajo
seis arquitecturas trilobuladas se suceden una
serie de episodios correlativos, pertenecientes
a una misma narración, según la cual el pueblo
francés pidió al rey Carlos que hiciera volver el
cuerpo de San Saturnino desde Saint Denis a
Toulouse, donde fue recibido triunfalmente
por el obispo, canónigos y pueblo. Una
inscripción que se encuentra en la parte
superior, escrita en caracteres góticos, nos dice:
"AQUI ESTA EL REY EN SU CATHEDRA
SENTADO: ET VIENE EL PUEBLO DE
FRANCIA A SUPLICARLLO QUE TORNE
ESTE CUERPO SANCTO A THOLLOSA".
Bajo el primero de los arcos aparece un rey
sentado sobre un trono señalando un
pergamino o filacteria en la que se puede leer:
"EL REY CARLLOS MANDA QUE TORNE EL
CUERPO DE SANT CERNI A THOLLOSA". El
rey luce sus atributos reales, manto encarnado
y corona de orfebrería; su barba es blanca y sus
facciones finas y delicadas. Se encuentra
instalado bajo una tienda de campaña y a sus
pies, recostado, un espléndido ejemplar de
galgo. Bajo el arco inmediato se hallan tres
jóvenes soldados vistiendo a la usanza de la
época, siendo de destacar la variedad de sus
arneses. La tercera escena está formada por un
grupo de hombres y mujeres dispuestos
ordenadamente en tres filas, aparecen
postrados y en actitud de suplicar. Hay que
destacar en todos los personajes la marcada
expresividad de sus miradas. El cuarto espacio
se encuentra ocupado por una representación,
que sin duda se refiere a la ciudad de
Toulouse. En ella se destaca un recinto
amurallado y tras él una iglesia. En el recinto
murado se abre una gran puerta, con arco de
medio punto, de la que sale un obispo, le
precede un cortejo de clérigos que llenan la
escena siguiente.

El conjunto resulta marcadamente
convencional, a pesar de los intentos del artista
por conseguir la profundidad. Bajo la arcada
siguiente encontramos el clero que precede al
obispo, la primera figura ostenta una cruz de
orfebrería y el obispo luce sus atributos: tiara,
manto y báculo. Frente a ellos avanza un
muchacho que lleva de la brida un borriquillo
que arrastra un carro en el que va el cadáver
del obispo.

El conjunto es sumamente vistoso, y
completa el cuadro una cinta por la parte
inferior en la que puede leerse: "LO PINTO
ROQUE EL... ANYO DE MIL ET CCC ET
XL...(V)EZINO DE PAM(PL)O(NA)...". El
pintor Roque se nos revela como un seguidor
inmediato de Juan Oliver de Pamplona. Aun
sin poseer su elegante estilización ni su
delicada gama colorística, supo componer
escenas con digna sobriedad y bellas
proporciones.

2.º Maestro de Gallipienzo
(segunda decoración)

Ángel

Pintura mural gótica trasladada al lienzo

Procedencia: ábside de la Iglesia Parroquial de Gallipienzo

230 x 84,2 cm

Finales del siglo XV (1480-1500)

Fecha de ingreso en el Museo: 1955

Virgen con el Niño

Talla en alabastro de bulto redondo sin policromar. Estilo gótico franco-borgoñón

Altura: 74 cm

Procedencia: Iglesia de los Franciscanos de Olite

Siglo XV

Fecha de ingreso en el Museo: 1977

Talla esbelta de delicada factura. Pesa en ella la tradición borgoñona.

Representa a la Virgen con el Niño al que alimenta con su pecho.

1.er Maestro de Gallipienzo

La Flagelación

Pintura mural gótica al fresco seco,
trasladada al lienzo

218 x 128 cm

Procedencia: ábside de la Iglesia Parroquial
de Gallipienzo

Siglo XIV (mediados)

Fecha de ingreso en el Museo: 1955

Pertenece al estilo franco-gótico o lineal.
Representa la Flagelación, de la que sólo
queda el torso de Cristo.

1.er Maestro de Gallipienzo

Calvario

Pintura mural gótica al fresco seco,
trasladada al lienzo

244 x 230 cm

Procedencia: ábside de la Iglesia Parroquial
de Gallipienzo

Siglo XIV

Fecha de ingreso en el Museo: 1955

Pertenece al estilo franco-gótico o lineal.
Representa la escena del Calvario. En el centro
la imagen del crucificado, de frente, sin que se
advierta la más ligera flexión de su cuerpo, a
pesar de pender de un madero con tres clavos.
A los lados la Virgen y San Juan, vueltos
ligeramente hacia la Cruz. Su impresión de
dolor está conseguida únicamente por el gesto
de las manos.

Flanquean al grupo central soldados
romanos a pie y a caballo, entre los que se
reconocen a Longinos y Estefaton. En la zona
superior el sol y la luna con rasgos humanos
contemplan al crucificado.

2.º Maestro de Gallipienzo

La Flagelación

Pintura mural gótica trasladada al lienzo

21 x 130 cm

Procedencia: ábside de la Iglesia Parroquial de Gallipienzo

Siglo XV (1480-1500)

Fecha de ingreso en el Museo: 1944

Pertenece al último gótico de tendencia flamenca. Representa la Flagelación, ocupando el centro de la escena la figura de Cristo atado a la columna entre dos sayones situados uno a cada lado.

En 1944-47 J. Guidol y su equipo realizan los trabajos de limpieza, restauración, arranque y traslado al lienzo.

2.º Maestro de Gallipienzo

Calvario

Pintura mural gótica trasladada al lienzo

214 x 230 cm

Procedencia: ábside de la Iglesia Parroquial de Gallipienzo

Siglo XV (1480-1500)

Fecha de ingreso en el Museo: 1944

Pertenece al último gótico de tendencia flamenca. Representa la escena del Calvario con el crucificado de tres clavos en el centro de la escena. Exagerado patetismo, especialmente en el grupo de la izquierda, con la Virgen sostenida por San Juan y acompañada de las dos Marías. A la derecha, grupo de soldados a caballo.

2.º Maestro de Gallipienzo

La Epifanía

Pintura mural gótica trasladada al lienzo

204 x 230 cm

Procedencia: ábside de la Iglesia Parroquial de Gallipienzo

Fines del siglo XV (1480-1500)

Fecha de ingreso en el Museo: 1955

Pertenece al último gótico, de tendencia flamenca. Representa la Epifanía. Ofrece un gran naturalismo, en detrimento de la belleza física de las figuras. La individualidad de los rostros y la vida que se desprende de las actitudes, le otorga un gran atractivo. La Virgen entronizada a la derecha de la escena muestra al Niño, erguido sobre su regazo, a los tres Reyes entre los que destaca Baltasar con rasgos negroides y color oscuro.

1.ᵉʳ Maestro de Gallipienzo

La Anunciación

Pintura mural gótica al fresco seco,
trasladada al lienzo

231 x 246 cm

Procedencia: ábside de la Iglesia Parroquial
de Gallipienzo

Siglo XIV

Fecha de ingreso en el Museo: 1955

El Nacimiento de Jesús

Pintura mural gótica al fresco seco,
trasladada al lienzo. 228 x 239 cm

La Epifanía

Pintura mural gótica al fresco seco,
trasladada al lienzo. 199 x 230 cm

Presentación en el templo

Pintura mural gótica al fresco seco,
trasladada al lienzo. 220 x 243 cm

1.er Maestro de Gallipienzo

La Huida a Egipto

Pintura mural gótica al fresco seco

235 x 165 cm

Procedencia: ábside de la Iglesia Parroquial de Gallipienzo

Siglo XIV (mediados)

Fecha de ingreso en el Museo: 1955

Pertenece al estilo franco-gótico o lineal. Representa la Huida a Egipto. La escena ofrece una desproporción entre las figuras de la Virgen y San José. Debió adaptarse al espacio irregular de la nave, interrumpido por una ventana.

**Tapa del sarcófago de doña
Teresa Alfonso de Palomeque**

Altorrelieve gótico en piedra caliza areniscosa

190 x 37 cm

Procedencia: Convento de Santo Domingo
de Estella

Siglo XV (hacia 1438)

Fecha de ingreso en el Museo: 1955

La dama, cuya efigie aparece tallada en la tapa
de este sarcófago, va suntuosamente vestida y
tocada. Está bastante deteriorada, con roturas y
raspaduras.

**Sarcófago de la princesa doña Juana de
Navarra**

Gótico internacional. Piedra arenisca

71 x 40 x 162 cm

Procedencia: Convento de San Francisco
de Tudela

Siglo XV (hacia 1425)

Fecha de ingreso en el Museo: 1956

Sarcófago de estilo gótico internacional
apoyado sobre cuatro leones, cuya tipología es
frecuente en Aragón pero excepcional en
Navarra. Luce las armas de Aragón y Navarra.
La tapa ha desaparecido.

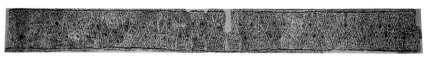

2.º Maestro de Olleta

Fragmentos decorativos

Pintura mural gótica al fresco

Procedencia: Iglesia Parroquial de Olleta

Siglo XV (último tercio)

Fecha de ingreso en el Museo: 1957

1.ᵉʳ Maestro de Olleta

Reyes

Pintura mural gótica.
Los colores están aplicados al temple

210 x 57,5 cm

Procedencia: Iglesia Parroquial de Olleta

Siglo XIV (mediados)

Fecha de ingreso en el Museo: 1957

Representa una serie de figuras de reyes superpuestas, dos a dos, como si fueran santos celebrando un coloquio.

1.er Maestro de Olleta

Escenas de la vida de Cristo

Pintura mural gótica al fresco

Primer panel: 90 x 90 cm
Segundo panel: 96 x 81,5 cm

Procedencia: Iglesia Parroquial de Olleta

Siglo XIV (1340-1360)

Fecha de ingreso en el Museo: 1957

Pintura navarra, franco-gótica o lineal.
Representa escenas narrativas del Nuevo
Testamento y el Ciclo de la vida de la Virgen.

2.º Maestro de Olleta

San Cristóbal

Pintura mural al fresco. Último gótico en
Navarra

378 x 225 cm

Procedencia: muro septentrional
de la Iglesia Parroquial de Olleta

Siglo XV (finales)

Fecha de ingreso en el Museo: 1958

Se trata de una gran figura de San Cristóbal,
bastante bien conservada. El santo aparece
representado de pie visto de frente, en actitud
de marcha. Apoya su mano derecha en un
árbol, mientras que sobre su brazo izquierdo
lleva la diminuta figura del Niño Jesús al que
se le identifica por el nimbo y por el globo
terrestre cruciforme que lleva en su mano
izquierda. El resto de la escena lo constituye
una banda vertical en la que se superponen
imágenes frontales de tres santos, con sus
respectivos atributos; un obispo, una santa con
atributos reales, que pudieran ser Santa Elena
y San Francisco de Asís.

En 1956, J. Gudiol y su equipo realizaron
los trabajos de limpieza, restauración, arranque
y traslado al lienzo.

1.ᵉʳ Maestro de Olleta

Ábside

Pintura mural gótica al fresco.

207 x 403 cm

Procedencia: Iglesia Parroquial de Olleta

Siglo XIV (1340-1360)

Fecha de ingreso en el Museo: 1957

Pintura navarra, franco gótica o lineal. Representa escenas del Juicio Final.

San Jerónimo penitente. Pamplona

Altorrelieve gótico en madera

103 x 66 cm

Procedencia: Catedral de Pamplona

Siglo XV (último tercio)

Fecha de ingreso en el Museo: 1955

La pieza presenta al Santo en actitud penitente, acompañado del león, en medio de un paisaje tratado de modo muy esquemático.

Obispo

Escultura de bulto redondo en piedra.
Estilo gótico, influencia francesa

Altura: 173 cm

Procedencia: San Pedro de la Rúa de Estella

Siglo XIV

Fecha de ingreso en el Museo: 1970

Representa un obispo. Manto con pliegues
geométricos en zig-zag. Su cabeza se tuerce
hacia la derecha, presentando rasgos de fina
ejecución. Estilización. Juego simple de
volúmenes.

Obispo

Talla gótica en madera policromada

Altura: 143 cm

Siglo XIV

Fecha de ingreso en el Museo: 1955

El efigiado aparece sedente y con mitra
episcopal. Su rigidez y frontalidad no
enmascaran la finura de la talla, dentro de un
estilo popular.

1.er Maestro de Artaiz

Decoración de ventana

Pintura mural gótica al fresco

290 x 177 x 170 cm

Procedencia: ábside de la Iglesia de San
Martín de Artaiz

Siglo XIII (último tercio)

Fecha de ingreso en el Museo: 1958

1.er Maestro de Artaiz

La adoración del cordero (detalle)

Pintura mural gótica al fresco

Precedencia: ábside de la Iglesia de
San Martín de Artaiz

Siglo XIII (último tercio)

Fecha de ingreso en el Museo: 1958

Santa Ana

Altura: 86,5 cm

Siglo XV (finales)

Talla en madera policromada

Virgen sedente con el Niño

Talla en bulto redondo en madera policromada

Altura: 101,5 cm

Siglo XIV

Fecha de ingreso en el Museo: 1967

Representa a la Virgen sedente con el Niño en las rodillas, sosteniendo en la mano derecha un libro.

Santa Ana

Talla gótica en madera policromada

Altura: 114,5 cm

Siglo XIV

Fecha de ingreso en el Museo: 1960

Representa a Santa Ana, a la Virgen y al Niño.

2.º Maestro de Olite

Anuncio a los pastores

Pintura mural gótica al fresco

164 x 114 cm

Procedencia: Iglesia de San Pedro de Olite.
Capilla de la Virgen del Campanal

Siglo XIV (hacia 1333)

Fecha de ingreso en el Museo: 1955

Pertenece al estilo franco-gótico o lineal, con
las primeras influencias italianas.

Representa el Anuncio a los pastores. El
modo de componer es muy hábil ya que el
pintor ha logrado compaginar la simetría con
la ordenación naturalista.

En primer término, un pastor vestido con
capirote y portando su zurrón, expresa su
deslumbramiento llevándose su mano derecha
a los ojos. A ambos lados dos grupos de
corderos. En segundo término, un perro
guardián y un pastor sentado sobre una roca. A
la izquierda media figura de un ángel con una
filacteria en la que puede leerse uno de los
versículos de San Lucas: "ANU(N)CIO VOBIS
GAUDIU(M)".

La parte superior está limitada por unas
arquerías, y sobre ellas una inscripción:
"ANGELUS AT PASTORES AIT GLORIA..."

2.º Maestro de Olite

La Epifanía

Pintura mural gótica al fresco

204 x 76 cm

Procedencia: Iglesia de San Pedro de Olite.
Capilla de la Virgen del Campanal

Siglo XIV (hacia 1333)

Fecha de ingreso en el Museo: 1955

Pertenece al estilo franco-gótico lineal, con las
primeras influencias italianas. Representa la
Epifanía. Aparece la Virgen con el Niño
recibiendo el homenaje del primero de los
reyes y un fragmento del segundo rey con el
gesto habitual de señalar la estrella.

Detalle

2.º Maestro de Olite

La Presentación

Pintura mural gótica al fresco

183 x 286 cm

Procedencia: Iglesia de San Pedro de Olite, Capilla de la Virgen del Campanal

Siglo XIV (hacia 1333)

Fecha de ingreso en el Museo: 1955

Pertenece al estilo franco-gótico o lineal. Nos muestra la Presentación en el templo y Jesús entre los doctores. La parte mejor conservada corresponde a las figuras de la Virgen con Niño, San José y María Salomé, saliéndoles al encuentro el anciano Simeón.

2.º Maestro de Olite

El Nacimiento de Jesús

Pintura mural gótica al fresco

164 x 100 cm

Procedencia: Iglesia de San Pedro de Olite, Capilla de la Virgen del Campanal

Siglo XIV (hacia 1333)

Fecha de ingreso en el Museo: 1955

Pertenece al estilo franco-gótico o lineal, con las primeras influencias italianas.

Representa el Nacimiento de Jesús. Encontramos la figura de la Virgen con el Niño en brazos incorporada sobre unos almohadones, y en primer término, el asno y el buey, uno frente a otro, recostados junto al pesebre. En el extremo derecho las figuras de María Salomé y José. La presencia de Salomé queda justificada por el evangelio del Pseudo-Mateo al hablar de la mujer que se atrevió a dudar del nacimiento virginal de Cristo y vio sus manos quemadas hasta que reconociendo la divinidad del recién nacido, tocó con sus manos los santos pañales y entonces vio renacer sus dos manos llenas de vigor y lozanía. Cerrando la composición, San José está representado como un anciano apoyado en su cayado.

2.º Maestro de Olite

Seth plantando el árbol de la vida

Pintura mural gótica al fresco

190 x 135 cm

Procedencia: Iglesia de San Pedro de Olite,
Capilla de la Virgen del Campanal

Siglo XIV (hacia 1333)

Fecha de ingreso en el Museo: 1955

Estilo franco-gótico o lineal, con las primeras
influencias italianas.

2.º Maestro de Olite

La Anunciación y la Visitación

Pintura mural gótica al fresco

126 x 160 cm

Procedencia: Iglesia de San Pedro de Olite,
Capilla de la Virgen del Campanal

Siglo XIV (hacia 1333)

Fecha de ingreso en el Museo: 1955

Pertenece al estilo franco-gótico o lineal, con
las primeras influencias italianas.

Nos muestra la Anunciación y la Visitación.
Ambas escenas están separadas por una
figuración arquitectónica que posiblemente
representa la casa de Isabel, que sale al
encuentro de María.

Janin Lomme

Escultura en piedra caliza policromada

27 x 40 x 15 cm

Procedencia: Palacio Real de Tafalla

Siglo XV (primer tercio)

Fecha de ingreso en el Museo: 1994

Es una ménsula que representa a un personaje encapuchado en el que se destaca el sentido del oído. Por su delicada factura, su ejecución puede atribuirse al escultor de Tournai, Jehan o Janin Lomme quien, en 1416, esculpió el mausoleo de Carlos III de Navarra.

Virgen en pie con Niño

Piedra caliza policromada

Altura: 124 cm

Procedencia: Antiguo convento de los Franciscanos de Pamplona

Siglo XIV (último cuarto)

1.er Maestro de Olite

Pantocrátor con Tetramorfos

Pintura mural gótica al fresco

Procedencia: Iglesia de San Pedro de Olite. Capilla de la Virgen del Campanal.

Siglo XIII (último tercio)

Fecha de ingreso en el Museo: 1955

1.er Maestro de Olite

Epifanía

Pintura mural gótica al fresco

Procedencia: Iglesia de San Pedro de Olite. Capilla de la Virgen del Campanal

Siglo XIII (último tercio)

Fecha de ingreso en el Museo: 1955

COLECCIÓN
DE ORFEBRERÍA

La colección de orfebrería del Museo de Navarra contiene piezas de muy distintas épocas, desde el gótico hasta el siglo XIX, pudiendo verse la evolución estilística de las cruces procesionales, los cálices y expositores. Muchas de las obras se hallan punzonadas, lo que añade un interés histórico al conjunto.

De la época gótica destaca el cáliz que fue regalo de Carlos III el Noble a Santa María de Ujué con motivo de su peregrinación a pie hasta el santuario, acompañado de la reina y sus hijas. En la documentación consta que fue realizado por Fernando de Sepúlveda. Es una pieza de gran calidad por sus proporciones y rica decoración. En el nudo lleva en esmalte traslúcido las cadenas de Navarra y las lises de los Evreux y en el pie, en un medallón polilobulado también de esmalte, la figura de Cristo sedente bendiciendo. También en el pie lleva la inscripción de donación con letras góticas. Completa la orfebrería medieval un candelabro de esmaltes, un expositor y algunas cruces procesionales realizadas en cobre y cobre sobredorado. Todo ello es una pequeña muestra del espléndido tesoro de orfebrería medieval conservado en distintos lugares de Navarra.

La orfebrería de época renacentista está representada por diversas cruces procesionales en plata con variable tipología. Asimismo, incensarios con cuerpo de tracería calada de tradición gótica y crismeras. Finalmente, en el Bajo Renacimiento continúan las formas manieristas de las que se conservan en la colección algunas piezas como un cáliz de plata de gallones y otro con el punzón AZCARATE, un incensario también de plata, una píxide y una cruz procesional de bronce.

Las piezas barrocas son las más abundantes en la colección de orfebrería del Museo, entre las que sobresalen algunas con los elementos decorativos del rococó y punzones de AZNAR, ESPETILLO y ARPIDE. Existe una variada tipología de cálices de plata o plata sobredorada, cruces procesionales en plata, navetas, incensarios, copones, vinajeras, píxides y crismeras. Son todos objetos de culto, incluida la gran arqueta de plata decorada con cartelas vegetales.

Finalmente, hay que citar la colección de objetos de plata pertenecientes a las artes decorativas, suntuarias, del siglo XIX, que constituyen el legado que en 1978 dejó al Museo de Navarra la familia De Felipe Goicoechea.

Cristo crucificado

Escultura en cobre dorado. Estilo románico

8 x 5,5 cm

Siglo XIII

Fernando de Sepúlveda (argentero)

Cáliz

Trabajo de orfebrería en plata dorada y esmaltes. Estilo gótico

Altura: 19 cm, base: 16 cm, copa: 11 cm

Procedencia: Archivo de Navarra

Siglo XIV (1394)

Fecha de ingreso en el Museo: 1970

Cáliz regalado por Carlos III el Noble a Santa María de Ujué, con motivo de una peregrinación que realizó a pie con su mujer D.ª Leonor y sus hijos los infantes.

Inscripción: EL REY DON CARLOS ME DIO A SANCTA MARIA DUXUA EN EL AYNNO MIL CCCLXXXXIIII

Lleva esmaltes romboidales en el nudo (escudos de Navarra y armas de la casa de Evreux). Pie polilobulado con esmalte de Pantocrátor.

Cruz procesional

Trabajo de orfebrería en cobre. Estilo gótico

41 x 28 cm

Siglo XIV

Cruz procesional, florenzada. El Cristo se halla coronado y va sujeto por tres clavos. Sendos óvalos en los brazos.

Custodia

Trabajo de orfebrería en plata. Estilo gótico

Altura: 16 cm (parte conservada).
Falta la base

Siglo XV

Fecha de ingreso en el Museo: 1966

Madona Trapani

Alabastro policromado en oro

Siglo XVI (primera mitad)

45 cm de altura

Procedencia: Convento de las Agustinas del
Sancti Spiritus de Puente la Reina

Arqueta veneciana en hueso

13 x 21 x 15 cm

Siglo XIV

Juego de crismeras

Trabajo de orfebrería en plata

Altura: 12 cm, diámetro 7 cm

Siglo XVI

Dos de ellas van unidas. También aparecen las letras O C V, tanto en el círculo central del cuerpo como en la tapadera.

Cruz procesional

Trabajo de orfebrería en cobre. Estilo gótico

58 x 39,5 cm

Siglo XIV

Cruz procesional de brazos planos y rectos rematados en flor de lis. Flores lobuladas con óvalos en brazos. Cristo barbado y coronado. Nudo o manzana ovoide.

Presenta punzones: N/DICADA (autor) y de la ciudad de Toledo

Incensario

Trabajo de orfebrería en plata

Altura: 29 cm, base: 9 cm

Cuerpo gótico (fines del siglo XV). Añadidos barrocos (siglo XVII)

Fecha de ingreso en el Museo: 1972

Cruz procesional

Trabajo de orfebrería en plata

80 x 54 cm

Siglo XV-XVI

Fecha de ingreso en el Museo: 1969

Cruz procesional de forma arbórea. Cristo crucificado en el anverso y Virgen con Niño, en el reverso.

Incensario

Trabajo de orfebrería en plata

Altura: 24 cm, base: 7 cm

Comienzos del siglo XVII. Bajo Renacimiento

Fecha de ingreso en el Museo: 1970

Incensario de plata. Presenta brasero barroco y cuerpo calado gótico de comienzos del siglo XVI. Punzón semiborrado IT.

Píxide

Orfebrería en plata. (Bajo Renacimiento)

Altura 17 cm, diámetro 9 cm

Siglo XVII

Fecha de ingreso en el Museo: 1968

Cáliz

Trabajo de orfebrería en plata sobredorada

Altura: 23 cm, base: 15,5 cm, copa: 9 cm

Comienzos del siglo XVII. (Bajo Renacimiento)

Cáliz sencillo. Lleva en la base el escudo del Carmelo. Presenta punzón FS/AZCARATE.

Naveta

Trabajo de orfebrería en plata. (Bajo Renacimiento)

Altura: 8 cm, base: 8,5 cm

Comienzos del siglo XVII.

Naveta de plata. Cuerpo con gallones.

Renacimiento

Barroco

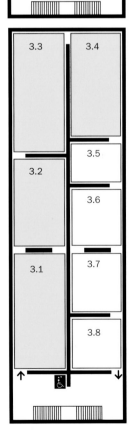

Planta 2

Sala 2.11
TABLAS RENACENTISTAS

Sala 2.12
PINTURA MURAL
RENACENTISTA
(Oriz)
Siglo XVI

Sala 2.13
PINTURA MURAL
RENACENTISTA
(Oriz)
Siglo XVI

Sala 2.14
PINTURA MURAL
RENACENTISTA
(Oriz)
Siglo XVI

2.5 2.6 2.7 2.8
2.4 2.11 2.10 2.9
2.12
2.3 2.13
2.2 2.14
2.1

Planta 3

Sala 3.1
PINTURA
EN COBRE
Siglo XVII

Sala 3.2
PINTURA EXTRANJERA
Siglo XVII

Sala 3.3
PINTURA ESPAÑOLA
Siglo XVII

Sala 3.4
PINTURA ESPAÑOLA
Siglos XVII-XVIII

3.3 3.4
3.5
3.2 3.6
3.1 3.7
3.8

RENACIMIENTO Y BARROCO

MARÍA CONCEPCIÓN GARCÍA GAÍNZA

EL NUEVO ESTILO renacentista que siguiendo el modelo clásico italiano se impuso en las artes del siglo XVI puede apreciarse en diversas obras de escultura y pintura conservadas en el Museo de Navarra. La propia portada del Museo y la capilla, pertenecientes a la antigua construcción del Hospital de Nuestra Señora de la Misericordia, son dos buenos ejemplos de la arquitectura del siglo XVI en Pamplona. La portada proyectada por Juan de Villarreal lleva la fecha de 1556 y responde a un esquema manierista de un cuerpo a modo de arco de triunfo entre columnas jónicas flanqueadas por estípites antropomorfos serlianos y un remate con el escudo de Navarra entre dos faunos tenantes; a ambos lados, dos tondos con sendos bustos masculino y femenino, y como culminación varios jarrones decorativos centrados por una calavera. La capilla de estilo gótico tardío es pequeña aunque de armónicas proporciones ajustándose a una tipología de nave única con cabecera recta y capillas laterales a modo de crucero. Las cubiertas son a base de bóvedas de nervios de diseño estrellado.

La escultura del primer Renacimiento de gusto expresivista y gran desarrollo ornamental está representada en el Museo en los sitiales del coro de la Catedral de Pamplona que están emplazados en la capilla. Se trata únicamente de una parte de la sillería -el resto permanece en la catedral- realizada por el maestro francés Esteban de Obray entre 1540 y 1542 con la colaboración de Guillén de Holanda y de otros maestros. Aquí confluyen las influencias de las escuelas renacentistas aragonesa y burgalesa de donde los citados artistas proceden. La escultura romanista, que tan brillante desarrollo tuvo en Navarra, está presente en el Museo por la figura exenta de San Jerónimo, obra de Juan de Anchieta, personalidad relevante del romanismo navarro. El San Jerónimo, de magnífico desnudo, procede de la capilla Barbazana de la Catedral para donde se hizo hacia 1577. Al mismo maestro debe adjudicarse la exquisita Virgen con el Niño erguida de rotundos volúmenes y dulce plegado en las telas. También la escultura de bulto de San Pedro proviene de la catedral, ya que era el titular del retablo mayor realizado por iniciativa del obispo Zapata (1598). Su autor, Pedro González de San Pedro, discípulo de Anchieta, mantiene un miguelangelismo de fuerte expresión heredado del maestro vasco. Representa a la brillante escuela vallisoletana la talla del Santo Obispo, procedente de Carrión de los Condes, obra del círculo de Alonso Berruguete.

La pintura del siglo XVI figura en el Museo con el importante conjunto de pinturas murales de Óriz, así como con diversas tablas, unas pertenecientes a la escuela pictórica navarra y otras a distintas escuelas peninsulares.

Las pinturas de Óriz son grisallas realizadas al temple que narran diversos pasajes históricos de la Guerra de Sajonia. Su composición está inspirada en grabados y tienen el valor de ser uno de los dos conjuntos de pintura sobre el citado tema histórico -el otro es el de Alba de Tormes- que se conservan en nuestro país. Las pinturas de Oriz son, además, coetáneas a los hechos que narran. Su autor anónimo debe ser algún pintor local algo descuidado en el dibujo.

Los inicios de la escuela navarra de pintura están representados por el retablo de San Juan de Burlada, obra de Juan del Bosque, pintor de Pamplona de la cuarta década del siglo XVI. Su estilo de manierista rafaelesco acusa la influencia aragonesa perceptible en las escenas de la vida de San Juan y de Cristo, alguna de cuyas composiciones están inspiradas en grabados de Durero. La mazonería del retablo es de Esteban de Obray, autor de la sillería del coro catedralicio según se ha señalado antes. Sigue la iconografía de este retablo las tablas pintadas de Setuain que repiten pasajes de la vida del Bautista y cuyo estilo se relaciona con el taller de los Oscáriz, los pintores más importantes de Pamplona avanzado el siglo XVI cuya obra se caracteriza por la combinación de influencias italianas y flamencas dentro del manierismo en boga. Particular interés presenta la tabla de Santa çgueda, procedente de Sarriguren, obra documentada de Ramón Oscáriz continuada por Pedro de Aldo y Oscáriz y terminada por Juan de Landa. Representa en el centro a la santa sedente llevando en sus manos la palma de martirio y una bandeja con sus senos en tanto que en el fondo figuran dos pasajes de la vida de la santa, a ésta encarcelada recibiendo la visita de San Pedro y el Martirio de Santa Águeda.

También a la escuela navarra pertenecen dos tablas cuyo estilo y tipos característicos de deficiente dibujo han hecho atribuírselo al "Maestro de Gallipienzo" identificado recientemente con Pedro de Sarasa, pintor de Sangüesa, y asimismo el tríptico de la Visitación de la Virgen a Santa Isabel, procedente de los franciscanos de Olite, de bellas formas renacentistas.

De otras escuelas pictóricas peninsulares proceden algunas otras tablas, así un hermoso Ecce Homo de estilo suelto y cierto venecianismo se adscribe al foco pictórico aragonés y en concreto a Roland de Mois y la

Santa Brígida a Jerónimo V. Cosida. Otra pintura del Ecce Homo está atribuida al pintor extremeño Luis de Morales. Al manierismo miguelangelesco de formas flotantes y color tornasolado propio de Gaspar Becerra se atribuyen una Anunciación y un San Pedro y San Pablo de la segunda mitad del siglo XVI.

El barroco está representado en el Museo por una variada, aunque no amplia, muestra de obras pictóricas, entre las que sobresalen las debidas al navarro Vicente Berdusán, único pintor de interés de la pintura navarra del siglo XVII. Se trata de cuatro lienzos, entre los que destaca el de Santa Cecilia, que muestran el estilo abocetado y colorista con atmósferas doradas que caracteriza al pintor vecino de Tudela, seguidor de las modas de la escuela madrileña contemporánea. Precisamente a esta escuela se adscriben algunos lienzos como la Coronación de la Virgen firmada por Francisco Camilo, la Anunciación firmada por el pintor madrileño Francisco de Lizona y un San José de Alonso del Arco, obras de colorido veneciano y dinamismo barroco. Junto a éstos, un gran lienzo de la Inmaculada atribuido a Claudio Coello y un bodegón de peces próximo al estilo de Mateo Cerezo ilustran los modos de la escuela madrileña en la segunda mitad del siglo XVII. También hay un lienzo de la Asunción del pintor napolitano Lucas Jordán adscribible a su etapa madrileña. En la escuela sevillana se sitúa un gran lienzo con dos frailes franciscanos atribuido a Juan de Valdés Leal. La pintura europea del barroco se halla presente gracias a la importante serie del Génesis, desarrollada en doce pinturas sobre cobre por el pintor flamenco Jacob Bouttats, fechable hacia 1700. Destaca en ella el sentido narrativo y el desarrollo del paisaje tratado con gran detallismo con los que se desarrolla un gran ciclo iconográfico inspirado en la Emblemata sacra editada por Juan Felipe Schabaelle con grabados de Pedro van der Borcht. Junto a este ciclo el bodegón de caza de Adrien de Gyeff (1670-1715) de escuela flamenca, más el Paisaje nocturno de Aert van de Meer de escuela holandesa. La escuela francesa está presente por el Paisaje de Gaspar Dughet (1615-1675) y la italiana por La expulsión de los mercaderes del templo y Los discípulos de Emaús del taller de los Bassano.

Finalmente, el siglo XVIII está representado por dos obras significativas debidas al pincel de Paret y Goya. De gran calidad es el retrato a pastel del literato Leandro Fernández de Moratín, obra de cuidada técnica y exquisito color, pintada por Paret en fecha posterior a 1790. Mas, sin duda, una de las obras cumbres que el Museo conserva es el retrato del Marqués de San Adrián, firmado y fechado por Goya en 1804. Se trata de uno de los mejores retratos masculinos del pintor aragonés en el que sobresale la captación magistral del rostro del marqués y la entonada gama de colores blanco, amarillo y ocres con que trabaja la figura y el fondo.

Ramón Oscáriz (muerto 1575)
Retablo de Santa Águeda
Óleo sobre tabla
121 x 123 cm
Procedencia: Sarriguren
Siglo XVI (segundo tercio)
Fecha de ingreso en el Museo: 1992

Esta es la única tabla conservada del que fue el retablo de Sarriguren, obra mayor de Ramón Oscáriz realizada en su característico estilo renacentista. Está enmarcada en un bonito marco plateresco, construido a base de columnas abalaustradas y decorado con cabezas de angelotes.

Gaspar Becerra (1520 - 1570)

La Anunciación

Óleo sobre tabla. Romanismo miguelangelesco

156 x 80 cm

Siglo XVI (último tercio)

Fecha de ingreso en el Museo: 1967

Marco decorado con relieves, frontón curvo partido en volutas. Cornucopias y ángeles en la zona superior. Escudo y figuras antropomórficas tenantes en la inferior.

Gaspar Becerra (1520 - 1570)

San Pedro y San Pablo

Óleo sobre tabla. Romanismo miguelangelesco

50 x 96 cm

Siglo XVI (último tercio)

Fecha de ingreso en el Museo: 1967

Roland de Mois (muerto en 1590)

Ecce Homo

Óleo sobre tabla

103 x 75 cm

Procedencia: Alfaro

Siglo XVI (segunda mitad)

Fecha de ingreso en el Museo: 1965

Luis de Morales (hacia 1509 - 1586)

Ecce Homo

Óleo sobre tabla

28,5 x 21 cm

Siglo XVI (segundo tercio)

Fecha de ingreso en el Museo: 1966

El tema del Ecce Homo es el más representado
por Luis de Morales y el más repetido por su
taller.

Rafaelismo heterodoxo con influjos
manieristas de estirpe florentina y
leonardescos.

Jerónimo Cosida

Beata Brígida

Óleo sobre tabla. Escuela aragonesa

144 x 90 cm

Siglo XVI (segundo tercio)

Fecha de ingreso en el Museo: 1963

Anónimo

Tríptico de la Visitación

Óleo sobre tabla

292 x 172 cm

Procedencia: Olite. Convento de Franciscanos

Siglo XVI (finales).
Ensamblaje arquitectónico barroco

Fecha de ingreso en el Museo: 1977

La escena central representa la Visitación de María a Santa Isabel. Las tablas laterales muestran a San Miguel Arcángel y San Juan Bautista con las leyendas SANCTE MICHAEL ORA PRO NOBIS y SANCTE JHOANES ORA PRO NOBIS, respectivamente.

Anónimo

Tríptico de San Miguel

Pintura sobre tabla

213 x 192 cm

Siglos XIV y XVI (dos autores)

Fecha de ingreso en el Museo: 1965

La pintura de fondo es un temple de estilo
gótico internacional de fines del siglo XIV.
En el panel central se representa a la Virgen
con el Niño y el Calvario.

Pinturas superficiales al óleo. Primera mitad
del siglo XVI; San Miguel, Santa Quiteria y
Santa Bárbara.

Virgen de pie con Niño

Talla en madera policromada

Altura: 67 cm

Procedencia: Eslava

Siglo XVI

Fecha de ingreso en el Museo: 1966

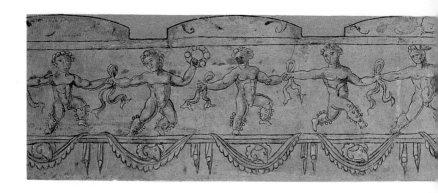

Pintura mural de Óriz

Pintura mural al fresco. Grisalla

74 x 415 cm

Procedencia: Palacio de Óriz.
Salas de la primera crujía contigua al vestíbulo

Siglo XVI (hacia 1550)

Fecha de ingreso en el Museo: 1955.
Donación Ferrer

Friso de niños desnudos danzantes.

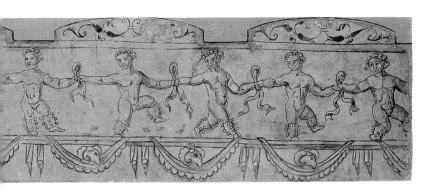

Pintura mural de Óriz

Pintura mural al fresco. Grisalla

62 x 290 cm

Procedencia: Palacio de Óriz.
Salas de la primera crujía contigua al vestíbulo

Siglo XVI (hacia 1550)

Fecha de ingreso en el Museo: 1955.
Donación Ferrer

Friso que representa niños desnudos jugando
con caretas, animales e instrumentos
musicales.

Pintura mural de Óriz

Pintura mural al fresco. Grisalla

66 x 133 cm

Procedencia: Palacio de Óriz. Salas de la primera crujía contigua al vestíbulo

Siglo XVI (hacia 1550)

Fecha de ingreso en el Museo: 1955. Donación Ferrer

Representa una figura de guerrero entre dos mascarones.

Pintura mural de Óriz

Pintura mural al fresco. Grisalla

123 x 237 cm

Procedencia: Palacio de Óriz. Salas de la primera crujía contigua al vestíbulo

Siglo XVI (hacia 1550)

Fecha de ingreso en el Museo: 1955. Donación Ferrer

Fragmento decorativo con figura de dama.

Pintura mural de Óriz

Pintura mural al fresco. Grisalla

171 x 213 cm

Procedencia: Palacio de Óriz. Vestíbulo alto

Siglo XVI (hacia 1550)

Fecha de ingreso en el Museo: 1955.
Donación Ferrer

Representa a Adán y Eva sujetos a la muerte y
al trabajo: Adán labra la tierra y tras él está la
muerte, que señala un ataúd, en tanto que Eva
amamanta a Abel, teniendo un huso apoyado
en su hombro izquierdo; Caín está a su lado.

Pintura mural de Óriz

Pintura al fresco. Grisalla

35 x 163,5 cm

Procedencia: Palacio de Óriz

Siglo XVI (hacia 1550)

Fecha de ingreso en el Museo: 1955.
Donación Ferrer

Representa a dos guerreros luchando.

Pintura mural de Óriz

Pintura mural al fresco. Grisalla

69 x 193 cm

Procedencia: Palacio de Óriz. Vestíbulo alto

Siglo XVI (hacia 1550)

Fecha de ingreso en el Museo: 1955.
Donación Ferrer

Figuras de Caín y Abel ofreciendo sacrificios al Señor.

Pintura mural de Óriz

Pintura mural al fresco. Grisalla

170 x 202 cm

Procedencia: Palacio de Óriz. Vestíbulo alto

Siglo XVI (hacia 1550)

Fecha de ingreso en el Museo: 1955.
Donación Ferrer

Representa la muerte de Abel a manos de su hermano Caín.

Pintura mural de Óriz

Pintura mural al fresco. Grisalla

184 x 127 cm

Procedencia: Palacio de Óriz. Capilla. Primera crujía contigua al vestíbulo

Siglo XVI (hacia 1550)

Fecha de ingreso en el Museo: 1955. Donación Ferrer

Representa a Cristo en la Cruz en el Calvario.

Pintura mural de Óriz

Pintura mural al fresco. Grisalla.

126 x 98 cm

Procedencia: Palacio de Óriz. Sala de la primera crujía contigua al vestíbulo

Siglo XVI (hacia 1550)

Fecha de ingreso en el Museo: 1955. Donación Ferrer

Representa la Visitación de la Virgen a Santa Isabel, rodeada de un marco pintado plateresco.

Cristo crucificado

Talla en bulto redondo de madera policromada

60 x 52 cm

Procedencia: Sos del Rey Católico

Siglo XVI

Fecha de ingreso en el Museo: 1955

Pintura mural de Óriz

Pintura mural al fresco. Grisalla

199 x 146 cm

Procedencia: Palacio de Óriz. Vestíbulo alto

Siglo XVI (hacia 1550)

Fecha de ingreso en el Museo: 1955.
Donación Ferrer

Se halla figurado el Paraíso Terrenal, con la gran fuente de que habla el Génesis, en un paraje frondoso con multitud de animales, entre los que se ven un rinoceronte, un león y diferentes aves. La fuente es de estilo plateresco con pilón, que al discurrir sobre la tierra forma dos ríos. Debajo, dos salvajes velludos, entre cisnes, tienen el escudo de los Cruzat.

Pintura mural de Óriz

Pintura mural al fresco. Grisalla

129 x 99 cm

Procedencia: Palacio de Óriz. Vestíbulo alto

Siglo XVI (hacia 1550)

Fecha de ingreso en el Museo: 1955.
Donación Ferrer

Representa una joven y dos guerreros.

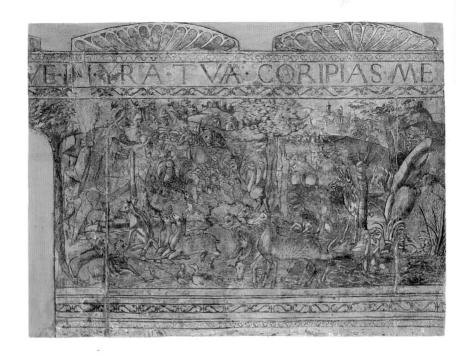

Pintura mural de Óriz

Pintura al fresco. Grisalla

184 x 253 cm

Procedencia: Palacio de Óriz

Siglo XVI (hacia 1550)

Fecha de ingreso en el Museo: 1955
Donación Ferrer

Representa un tema inspirado en el fabulario
medieval. Es el sermón del Zorro que les habla
desde el púlpito rústico, mientras en la mano
izquierda sostiene un libro. Entre las bestias se
encuentra alguna mítica, como el unicornio.
Sobre ambas escenas va un letrero en donde se
lee: "DNE NE IN FURO (retuo argva) S ME
NEQUE IN YRA TUA CORIPIAS ME"
(Señor no me reprendas con saña, ni con ira,
ni me castigues. Se trata del versículo segundo
del Salmo VI).

Obispo

Talla de figura de un obispo en bulto redondo.
Madera policromada

Altura: 128 cm

Procedencia: Carrión de los Condes
(Valladolid)

Siglo XVI (hacia 1560).
Policromía posterior rococó

Fecha de ingreso en el Museo: 1964

Pintura mural de Óriz

Pintura mural al fresco. Grisalla

87 x 345 cm

Procedencia: Palacio de Óriz. Vestíbulo alto

Siglo XVI (hacia 1550)

Fecha de ingreso en el Museo: 1955.
Donación Ferrer

Panel decorativo que representa un friso de
puntas de diamante y letrero ilustrativo del
alanceamiento de Caín.

Pintura mural de Óriz

Pintura mural al fresco. Grisalla

139 x 345 cm

Procedencia: Palacio de Óriz. Vestíbulo alto

Siglo XVI (hacia 1550)

Fecha de ingreso en el Museo: 1955.
Donación Ferrer

Representa al ciego Lamech, quinto
descendiente de Caín, disparando
involuntariamente una flecha que hiere a éste
mortalmente.

Detalle

Pintura mural de Óriz

Pintura mural al fresco. Grisalla

191 x 342 cm

Procedencia: Palacio de Óriz. Vestíbulo alto

Siglo XVI (hacia 1550)

Fecha de ingreso en el Museo: 1955.
Donación Ferrer.

Figura la reconvención del Señor a Adán y Eva y su expulsión del Paraíso. Ambas escenas están repartidas a los dos lados del hueco de una puerta.

Juan de Anchieta (1536 - 1588)

San Jerónimo penitente

Talla en madera sin policromar

Altura: 66 cm

Procedencia: Catedral de Pamplona

Siglo XVI (último tercio)

Representa a San Jerónimo penitente. Romanismo miguelangelesco.

Pinturas murales de Óriz

Pintura al fresco. Grisalla

75 x 670 cm cada escena aprox.

Procedencia: Palacio de Óriz

Siglo XVI (hacia 1550)

Fecha de ingreso en el Museo: 1955.
Donación Ferrer

Formaba un friso en lo alto de los muros.
Pinturas del Gran Salón del Palacio. Figuran
seis grandes composiciones separadas por
pilastras pintadas. Carecen de cenefa en la
parte superior y por debajo llevan simple
moldura simulada, de la que sobresalen
cabezas de ángeles o de genios alados. El
reparto se hace con dos composiciones en cada
muro lateral y una en cada testero.
Todas ellas narran con minuciosidad y
fidelidad histórica la campaña del emperador
Carlos contra los príncipes protestantes. Las
describiremos siguiendo su orden histórico: en
primer lugar, el Socorro de Ingoldstad,
cercado por las tropas luteranas del duque de
Sajonia. La pintura muestra la ciudad y el
campamento imperial fortificado, y enfrente,
tras una barrera de cañones, el ejército de la

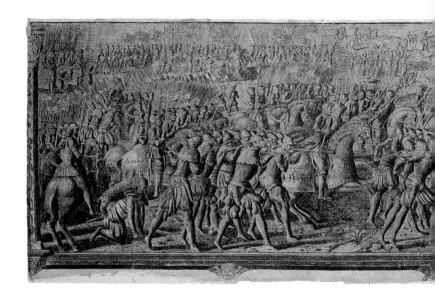

Liga. La segunda composición presenta una vista de los dos campamentos, a la derecha está el luterano, lo que se prueba por el letrero SAJON que se ve en el caparazón defensivo de uno de los caballos. Se hallan luchando y son de advertir las defensas atrincheradas de las tropas del emperador.

En el testero se halla la tercera composición, en la que el ejército imperial busca contacto con el luterano: el duque de Alba manda la vanguardia, y se le reconoce por un letrero que lleva en el caparazón del caballo.

También colocados en la misma manera pueden leerse los nombres de otros personajes, como el conde de Buren (QUEDE BVRA), el emperador (EMPERADOR), el Landgrave (LANZGRAVE). En otro muro lateral izquierdo se representan otras dos composiciones. El paso del Elba en Mülberg con la campaña y victoria del emperador sobre Juan Federico de Sajonia, y la persecución del ejército de la Liga, con numerosas y diversas escenas de lucha.

Finalmente, figura la rendición del duque de Sajonia. Al centro de la composición está a caballo Juan Federico, con el casco en la

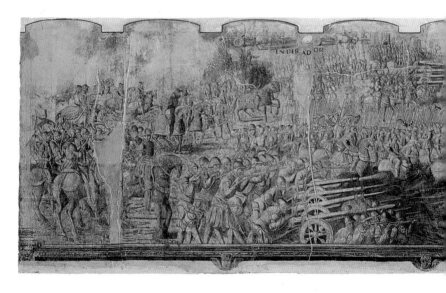

mano, inclinado ante el emperador, al que acompaña el rey de Romanos. Detrás del duque de Sajonia se halla el duque de Alba. En el centro cuelga una cartela que dice lo siguiente:

LA FELICE BATALLA QVE EN ALEMANA BENCIO
CONTRA LVYERANOS EL EMPERADOR CRLO
V MAXIMO REY DE ESPANA FVE A 24 DE ABRIL
ANO 1547 EN LA QVAL FVE PRESO EL
DVQ. DE SA SSONIA Y EL DVQ. HERNESTO DE
BRANZAVIC Y
OTROS MVCHOS PRINCIPALES Y LOS
MAS DE LOS DE SV EXERCITO MVUERTOS Y
PRESOS

La técnica de estas pinturas, como la de todas las anteriores procedentes de Óriz, es el claroscuro, realizadas al fresco, limitándose el empleo de colores al negro, y su máximo interés reside en que es un ejemplar casi único y en dar relato de una campaña triunfal.

El pintor de las batallas acierta a dar la impresión de masas de soldados, del fragor de la lucha y, en general, en presentar con claridad todas las incidencias bélicas; sin embargo, las desproporciones frecuentes y la escasa calidad de la factura hacen suponer que estuvieron dirigidas o tuvieron modelos muy superiores a sus ejecutantes.

Detalle

Detalle

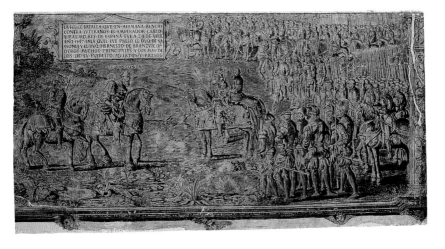

Detalle

Jacob Bouttats

Ciclo del Génesis

Óleo sobre cobre

77 x 100 cm

Siglo XVII (finales)

Fecha de ingreso en el Museo: 1961

Colección de doce cuadros con escenas de la Creación. Las escenas representadas son las siguientes:
1. Separación de la luz y las tinieblas.
2. Separación de la tierra y los mares.
3. Creación de los peces y las aves.
4. Creación de los animales y de Adán y Eva.
5. Instalación en el Paraíso.
6. Precepto divino.
7. El pecado original.
8. Expulsión del Paraíso.
9. Trabajo de la tierra.
10. Caín agricultor y Abel pastor.
11. Ofrendas de Caín y Abel.
12. Los descendientes de Adán.

Escenas paisajísticas de escuela flamenca, utilizando como fuente el Génesis. En ellas advertimos ciertos elementos arcaizantes como la reprsentación de escenas cronológicamente distintas en un mismo cuadro, dotándolas de un fuerte carácter narrativo. Una exuberante naturaleza invade los cuadros, no existiendo jerarquización entre las figuras y su entorno. La impronta italiana se aprecia en la forma de componer y en el juego de colores.

2

3

4

5

6

7

8

9

10

Adrien de Gryeff (1670 - 1715)

Bodegón

Óleo sobre lienzo. Escuela flamenca

52 x 63 cm

Siglo XVII (último tercio)

Fecha de ingreso en el Museo: 1964

Naturaleza muerta tratada con espíritu y pintoresquismo, en la que se rechaza todo aquello que pueda resultar superficial, resultado de lo cual es la plasmación de elementos tanto animados como inanimados que adquieren nervio y vitalidad. El tratamiento pictórico es refinado y el dibujo es de una delicada belleza.

Aert van der Meer (1603 - 1627)

Paisaje nocturno

Óleo sobre tabla. Escuela holandesa

44 x 59 cm

Siglo XVII (primer tercio)

Fecha de ingreso en el Museo: 1966

Paisaje en el que la naturaleza se convierte en total protagonista, demostrando que en ella existe un atractivo pictórico innato. Desprovista de cualquier elemento superfluo, la naturaleza se nos muestra con una grandeza y profundidad propia, aunque sin el tono sentimental que alcanzará en el siglo XIX.

Jacobo Bassano (hacia 1516 - 1592)

Expulsión de los mercaderes del templo

Óleo sobre lienzo. Escuela veneciana

100 x 203 cm

Segunda mitad del siglo XVI

Fecha de ingreso en el Museo: 1970

Obra de envergadura en la que el tema religioso es utilizado para recrearse en la plasmación de una variada gama de personajes, algunos de los cuales presentan posturas forzadas, permitiéndose realizar complejos estudios anatómicos. Su estilo, muy personal, es poderoso y enérgico, haciendo uso estudiado del claroscuro y de vigorosos empastes.

Taller de los Bassano

Discípulos de Emaús

Óleo sobre lienzo. Escuela veneciana

154 x 216 cm

Siglo XVI (segunda mitad)

Fecha de ingreso en el Museo: 1966

Pasaje bíblico en el que lo anecdótico se eleva a la categoría de protagonista, en un deseo de aproximación popular. La impronta veneciana aflora bajo la magna figura del comitente y la elección de un amplio escenario. La herencia de Jacobo queda evidente ante la utilización de recursos propios como la figura arrodillada, el animal de primer plano o el sutil y austero bodegón.

Anónimo

Inmaculada

Talla en bulto redondo de madera policromada. Estilo barroco

Altura: 71 cm

Siglo XVII(finales)

Fecha de ingreso en el Museo: 1965

Sobre peana de molduración barroca y nube de querubines, se asienta la «Inmaculada». La presencia de elementos postizos como los ojos de cristal, nos hablan ya del afán naturalista de este último tercio de siglo, al igual que las formas que poseen una contraposición direccional entre la colocación de las manos y el adelantamiento del pie, simulando el movimiento. Dada la delicadeza y esbeltez de la talla, parece propia de algún maestro vinculado a la escuela andaluza.

Anónimo

San Juan

Talla en bulto redondo en madera policromada

Altura: 83 cm

Siglo XVII

Fecha de ingreso en el Museo: 1965

Talla de factura popular, en la que contrasta la delicadeza del tratamiento del rostro, frente al poco acabado plegado del manto.

Se advierten ciertas reminiscencias miguelangelescas en la fuerza de la expresión del rostro, pudiéndose encuadrar en las postrimerías localistas de talleres romanistas.

Anónimo

Virgen

Talla en bulto redondo en madera policromada

Altura: 81 cm

Siglo XVII

Fecha de ingreso en el Museo: 1965

Obra de clara adscripción popular, dada la tosquedad del conjunto. La sencillez de líneas y el volumen del ropaje contribuyen poderosamente a la expresión concentrada en el rostro.

Gaspar Dughet (1615 - 1675)

Paisaje

Óleo sobre lienzo. Escuela francesa

134 x 96 cm

Siglo XVII

Fecha de ingreso en el Museo: 1973

Paisaje que podría situarse a mitad de camino entre la concepción clásica y la romántica. En él la naturaleza se manifiesta plena y exuberante, pero la huella clásica deja su impronta mediante la presencia de algún resto arquitectónico.

Francisco de Lizona

Anunciación

Óleo sobre lienzo. Escuela madrileña

205 x 138 cm

Siglo XVII (último tercio)

Fecha de ingreso en el Museo: 1920

Plasmación de la Anunciación, en un tipo próximo a las realizadas por Rizzi y Coello, aunque con un barroquismo más atemperado. La Virgen aparece arrodillada, con gesto y actitud serena que se contrapone con el dinamismo del ángel que desciende ampulosamente, a lo que contribuye la agitación del manto. El cromatismo es jugoso y meditada la utilización de luces y sombras.

Alonso del Arco (1625 - 1700)

San José y el Niño

Óleo sobre lienzo. Escuela madrileña

83 x 61 cm

Siglo XVII (segunda mitad)

Fecha de ingreso en el Museo: 1965

Obra religiosa cuya concepción deja traslucir un claro efectismo ciertamente estereotipado. Las formas macilentas de ambas figuras quedan matizadas por la actitud elegida y por la somera aplicación del color. Aunque discípulo de Pereda, no alcanza la altura de su maestro, careciendo esta obra de firmeza y convicción.

Francisco Camilo (1635 - 1671)

Sagrada Familia

Óleo sobre lienzo. Escuela madrileña

142 x 202 cm

Siglo XVII (1658)

Fecha de ingreso en el Museo: 1966

Obra de potente aparato escenográfico, donde el significado religioso viene dado a través del perfecto estudio y disposición de los personajes.

Estos presentan, por la blandura y delicadeza de sus formas y actitudes, una clara vinculación con la pintura italiana, a lo que contribuye la utilización de un colorido claro, que lo aleja bastante de sus contemporáneos españoles.

Claudio Coello (1642 - 1693)

Inmaculada

Óleo sobre lienzo. Escuela madrileña

213 x 160 cm

Siglo XVII (último tercio)

Fecha de ingreso en el Museo: 1973

Iconografía muy representada por los pintores de esta Escuela, presenta en esta obra un tratamiento más sosegado, aunque se recurre a la utilización de amplios espacios y un apoteósico aparato escenográfico que persigue la consecución del ímpetu ascensional de María. La riqueza del color y la belleza de las formas la convierten en un buen ejemplo de la obra de este avanzado creador.

Mateo Cerezo (1626 - 1666)

Bodegón con peces

Óleo sobre lienzo. Escuela madrileña

63 x 83,5 cm

Siglo XVII (mediados)

Fecha de ingreso en el Museo: 1966

Bodegón de austera composición en el que elementos tan comunes como la aceitera o los peces, están tratados con total autonomía. Insertos en un espacio neutro y amplio, cobran protagonismo por su austeridad y perfección. A través de la diversidad de las superficies plasmadas, recrea la maestría de su técnica mediante complejos juegos de luces, escorzos, diagonales y cromatismo certero.

Lucas Jordán (Lucca Giordano) (1632 - 1702)

Asunción

Óleo sobre lienzo

200 x 150 cm

Finales del siglo XVII.
Etapa madrileña, 1690-1700

Fecha de ingreso en el Museo: 1975

Iconografía mariana abordada con fuerte despliegue escenográfico, donde no dejan de percibirse ciertos influjos rafaelescos fusionados con ciertas concomitancias propias de la Escuela madrileña. La ligereza de la composición y la frescura de su colorido nos ofrecen una interpretación muy personal de este tema clásico.

Anónimo

San Joaquín y la Virgen

Óleo sobre lienzo. Estilo barroco. Escuela castellana

204 x 134 cm

Siglo XVII

Fecha de ingreso en el Museo: 1978

Representación del pasaje bíblico que recoge la educación de la Virgen por San Joaquín. Composición simétrica, en la que la disposición de las figuras y el carácter estático de las mismas denotan cierto arcaísmo en su factura. A la sobriedad cromática se le contrapone la riqueza del brocado, en un juego de contraposiciones que se acentúa en el tratamiento de los rostros del santo y la Virgen.

Juan de Solís

Paisaje con santo

Óleo sobre lienzo. Escuela madrileña

104 x 162 cm

Siglo XVII (mediados)

Fecha de ingreso en el Museo: 1966

Paisaje de compromiso italianizante y académico en cuanto a su concepción. Articulado de forma gradual, envuelve la figura sedente del santo anacoreta. A pesar de la desproporción cuantitativa, el paisaje es secundario, convirtiéndose en simple escenario que cobija la escena religiosa.

Vicente Berdusán (1632 - 1697)

Santa Catalina

Óleo sobre lienzo. Escuela navarro-aragonesa

125 x 99 cm

Siglo XVII (último tercio)

Aunque separadas por algunos años en su realización, las cuatro obras de V. Berdusán con que cuenta este Museo presentan unas características comunes que las aglutinan. La temática abordada en todas ellas es religiosa, enfocada a través de un complejo y suntuoso aparato y escenografía. En ellas, las figuras, cargadas de profundo misticismo, presentan una monumentalidad muy italianizante; los paños vuelan ligeros a pesar de su empaque, la pincelada es ágil y segura, quedando las figuras atrapadas en un espacio donde la luz las hace atemporales.

Vicente Berdusán (1632 - 1697)

Imposición del Escapulario de la Virgen del Carmen a San Simón Stok

Óleo sobre lienzo

150 x 110 cm

Antonio González Ruiz (1711 - 1788)

Inmaculada Concepción

Óleo sobre tabla

118 x 93 cm

Fecha de ingreso en el Museo: 1997

Antonio González Ruiz (1711 - 1788)

Retrato de Monja

Óleo sobre lienzo

82 x 69,5 cm

Procedencia: Colección del duque de Valencia

Siglo XVIII (1750)

Fecha de ingreso en el Museo: 1994

El pintor corellano Antonio González Ruiz formó parte de la Junta Preparatoria de la Real Academia de San Fernando; en 1752 fue nombrado Director de Dibujo de dicha institución, cargo que desempeñó hasta su muerte. El academicismo marca toda su producción, tal y como puede apreciarse en estas obras ejecutadas con magistral corrección formal y dominio técnico.

Juan de Valdés Leal (1622 - 1690)

San Pedro de Alcántara

Óleo sobre lienzo. Estilo barroco.
Escuela sevillana

210 x 151 cm

Siglo XVII (hacia 1675)

Fecha de ingreso en el Museo: 1964

Obra de temática religiosa en la que destaca el
equilibrio de la composición. El barroquismo,
sin embargo, se manifiesta tanto en la
gesticulación de ambas figuras como en la
complicación del fondo, que sumerge a los
personajes en una atmósfera irreal y distante.
Aunque dotado de cierto artificio, el
naturalismo se impone en la plasmación de los
rostros, telas y accesorios representados. La
maestría de este pintor se advierte no sólo en
el dinamismo del manejo del pincel, sino en la
perfecta reproducción de las calidades y en su
temperamental uso del color.

Luis de Paret y Alcázar

Retrato de Lenadro Fernández de Moratín

Pastel sobre papel

49 x 37 cm

Siglo XVIII (último tercio)

Fecha de ingreso en el Museo: 1961

Retrato de perfecta factura en el que Paret centra su atención en el rostro del escritor, a través del cual ahonda en la semblanza interna del retratado.

    Entronca con la tradición española por la sobriedad del tratamiento, que elude cualquier elemento anecdótico y se enfrenta abiertamente a la compleja personalidad del retratado.

Anónimo

San Miguel

Madera policromada. Estilo rococó

Altura: 79 cm

Siglo XVIII

RENACIMIENTO

BARROCO

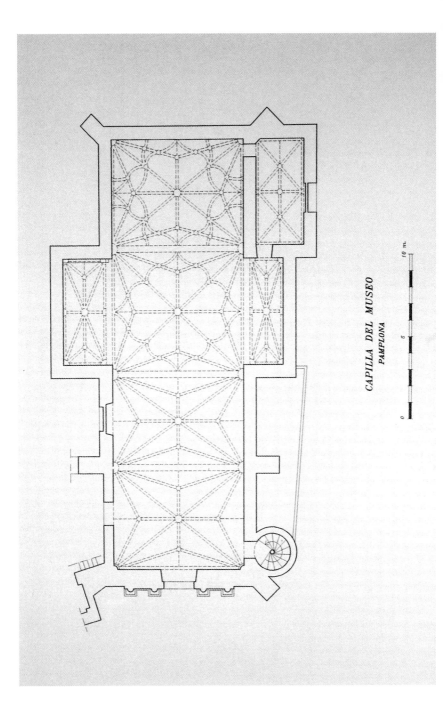

CAPILLA DEL MUSEO
PAMPLONA

0   5   10 m.

IGLESIA DEL HOSPITAL DE NUESTRA SEÑORA DE LA MISERICORDIA

PEDRO LUIS ECHEVERRÍA GOÑI

PAMPLONA ha conservado tres templos del denominado Gótico-Renacimiento del siglo XVI, momento de la mayor floración de edificios religiosos en el Viejo Reino. A las iglesias conventuales de Santiago o Santo Domingo (1536-1568) y San Agustín (1525 - 1550) hay que añadir la capilla del Hospital (1547 - 1550). Restaurada para su adecuación como sala de exposiciones permanente del Museo de Navarra en 1997, no podemos olvidar el destino original de este pequeño templo que fue capilla del Hospital General de Nuestra Señora de la Misericordia de Pamplona y lugar de enterramiento de su fundador. Es, junto a la portada principal del Museo, el único resto conservado del citado complejo.

El fundador y patrono de la iglesia y, en gran parte, del Hospital fue el doctor don Remiro de Goñi, arcediano de la Tabla en la Catedral de Pamplona, quien desde los inicios de esta fábrica en 1545 hasta su conclusión en 1551 aportó personalmente 7.000 ducados. A esta elevada suma se unieron otras donaciones, limosnas y censos del virrey don Francisco de Avellaneda, el ayuntamiento pamplonés, varios canónigos de la catedral y particulares de la ciudad y el Reino. En nombre del insigne canonista actuó como fabriquero don Pedro de Monreal, su clavero, y entre los canteros que trabajaron en este complejo destacan los nombres de Martín de Azcárate y Miguel de Ollaquindia y los entalladores Juan de Villarreal y Juan Vizcaíno que se ocupó en 1556 de la portada principal del Hospital, actual del Museo de Navarra. La capilla fue construida entre 1574 y 1550, encargándose de las obras el cantero Juan de Anchieta.

El exterior no presenta otros elementos plásticos que dos escudos insertos en el muro norte, uno del siglo XVI orlado por cartelas correiformes con las armas e inscripción de Goñi y otro dieciochesco de la ciudad de Pamplona y una portada barroca procedente de la iglesia de la Soledad de Puente la Reina, la que fuera Escuela de Cristo y, originariamente Escuela de María en la calle Mayor, que sustituyó en 1934 al primitivo "portegado" de madera. El interior es muy representativo del estilo Gótico-Renacimiento, adoptando una planta longitudinal de nave única, cabecera recta y crucero con pequeñas capillas cuadradas. Por su carácter de capilla hospitalaria, el condicionamiento del solar y, sobretodo, por su carácter funerario, muestra un espacio unitario definido por la anchura de la nave y la presencia de capillas. Sus tres tramos y el sotocoro se cubren por las características bóvedas estrelladas con terceletes y combados conopiales que apean en ménsulas con dentículos y ovas. Las claves centrales muestran en campo dorado las armas del fundador - una cruz roja con cinco panelas de oro - en cabecera, sacristía, segundo tramo y sotocoro. Las cadenas de Navarra aparecen, al igual que en la antigua portada del Hospital, en el primer tramo. Escoltan a éstas, otras menores con rosetas en la nave y cabezas de serafines en sotocoro y sacristía.

Anónimo. Taller navarro

Virgen sedente con Niño

Talla en madera policromada. Estilo romanista

Altura: 78 cm

Siglo XVI (último tercio)

Anónimo. Taller de Juan de Anchieta

Virgen erguida con Niño

Talla en madera policromada. Estilo romanista

Altura: 104 cm

Siglo XVI (hacia 1580)

Escuela aragonesa. Taller de Pablo Rabiella y Díez de Aux (1630-1719)

San Francisco Javier curando milagrosamente a un niño

Óleo sobre lienzo. Estilo barroco

119 x 91 cm

Siglo XVIII

La obra adopta el carácter de exvoto conmemorativo. Contrasta con el santo navarro, el niño en actitud orante que constituye un verdadero retrato y que demanda, con su mirada cómplice, la atención del espectador en efectista recurso barroco.

Detalle

Detalle

Jacques Francart (1582-1651)

Políptico de la Vida de Cristo y la Virgen

Óleo sobre bronce con mazonería de madera
policromada. Estilo manierista con elementos
protobarrocos

66,5 x 122,5 cm

Siglo XVII (1612)

Fecha de ingreso en el Museo: 1998

Esta composición ha dejado el programa
desordenado en dos registros con la
Circuncisión, Presentación en el Templo,
Oración en el Huerto, Coronación de espinas,
Pentecostés, Asunción y Coronación en el
primero, y Anunciación ,Visitación, Adoración
de los Pastores, Flagelación, Cruz a cuestas,
Resurección y Ascensión en el segundo.

Detalle

**Juan del Bosque pintor y
Esteban de Obray entallador**

Retablo de San Juan Bautista

Obra mixta del Primer renacimiento. Tablas
manieristas y mazonería plateresca

Procedencia: Capilla mayor de la Parroquia de
San Juan Bautista de Burlada

Siglo XVI (1529-1546)

Fecha de ingreso en el Museo: 1956

Juan José Echarri arquitecto, Juan Antonio y Manuel Martín de Ontañón escultores, Andrés Mata pintor-dorador

Retablo mayor de la Anunciación

Madera policromada. Estilo barroco-rococó

Siglo XVIII (1763-1764)

Procedencia: Convento del Carmen Calzado de Pamplona

Pertenece a la tipología más interesante de retablo nichal o medio baldaquino del Rococó que sigue modelos cortesanos y, en última instancia, franceses.

**Antón de Arara y Pedro Lasao pintores,
Miguel de Gámiz imaginero y entallador**

Retablo de Santa Marta

Temple graso sobre tabla y madera
policromada

420 x 256 cm

Procedencia: Iglesia del Hospital de Nuestra
Señora de la Misericordia de Pamplona

Tablas manieristas, 1551 y mazonería
plateresca policromada en 1777

Remiro de Goñi, fundador de la iglesia,
encargó y financió estas obras, como lo
atestigua la presencia de su escudo. La tablas
que escoltan a la talla original de Santa Marta
están inspiradas en la Leyenda Dorada de
Jacobo de la Vorágine y recogen la Victoria de
la santa sobre el dragón de Tarascón y su
alanceamiento por los soldados, y la
Resurrección milagrosa de un joven ahogado
en el Ródano. En el segundo cuerpo San Juan
Bautista y María Magdalena.

Antón de Arara y Pedro Lasao pintores, Miguel de Gámiz imaginero y entallador

Retablo de San Remigio

Temple graso sobre tabla y madera policromada

420 x 303 cm

Procedencia: Iglesia del Hospital de Nuestra Señora de la Misericordia de Pamplona

Tablas maniersitas, 1551 y mazonería plateresca policromada en 1777

El retablo de San Remigio desarrolla los dos episodios culminantes de la historia del arzobispo de Reims, el Bautismo del rey Clodoveo y sus cortesanos como inicio de la evangelización de los francos y la alimentación prodigiosa de las aves. A ambos lados del escudo vemos dos santos de devoción popular como Santa Bárbara y San Cristóbal.

**Bernat de Flandes pintor y
Miguel de Gámiz imaginero y entallador**

Retablo de San Blas

Óleo sobre tabla y madera policromada.
Tablas manieristas y mazonería plateresca

258 x 147 cm

Procedencia: Parroquia de San Juan Bautista
de Burlada

Siglo XVI (1556-1562)

Fecha de ingreso en el Museo: 1956

El banco presenta un ciclo mariano; la talla
expresivista de San Blas está flanqueada por
cuatro tablas referidas a la vida del santo. Son
composiciones de estilo lineal, factura torpe,
vivo colorido y fuertes influencias nórdicas.

Anónimo

Retablo de San Juan Bautista

Temple sobre tabla. Estilo protorrenacentista con elementos hispano-flamencos

217 x 216 cm

Siglo XVI (hacia 1530)

Obra capital en los inicios del Renacimiento en Navarra, aun con abundantes convenciones de la pintura hispano-flamenca.

Juan Correa de Vivar

Milagro de los Santos Cosme y Damián

Óleo sobre tabla. Estilo manierista.
Foco de Toledo

123 x 105 cm

Procedencia: Muñoyerro (Ávila)

Siglo XVI (hacia 1510-1560)

Fecha de ingreso en el Museo: 1968

Representa a los santos médicos en su curación
milagrosa más famosa, cuando van a injertar la
pierna de un negro a un amputado. La
composición general muestra la dependencia
de la pintura de su maestro Juan de Borgoña.

Anónimo

San Martín partiendo su capa

Talla de bulto redondo en madera
policromada. Estilo barroco

Altura: 117 cm

Siglo XVII (finales), policromía del siglo XVIII

Fecha de entrada en el Museo: 1961.

Conjunto formado por San Martín a caballo y
el mendigo, en el momento de partir la capa
con su espada. Queda evidenciado lo
arcaizante del taller en el que se ejecuta, ante
la utilización como recurso compositivo de la
desproporción entre el tamaño del santo y el
mendigo, en un claro truco efectista
jerarquizante.

**Taller de Pamplona,
policromía de Juan de Landa**

Sagrario de Cizur Mayor

Madera policromada. Estilo romanista

90 x 110 x 50 cm

Siglo XVI (finales)

El programa eucarístico asienta sobre un banco con el emblema de la Eucaristía en el centro, flanqueado por virtudes teologales y cardinales sedentes en óvalos. La puerta sirve de marco para el relieve de la Última Cena, en tanto que en las alas aparecen los del Lavatorio y la Oración del Huerto. Sobre éstos últimos se representan, en sendos óvalos manieristas, relieves de Apóstoles emparejados.

Detalle

**Esteban de Obray entallador,
Guillén de Holanda imaginero, y otros**

Sillería del coro de la Catedral de Pamplona

Talla de madera en blanco.
Primer Renacimiento

Procedencia: Coro de la Catedral de
Santa María de Pamplona

Siglo XVI (1539-1541)

Una de las empresas más ambiciosas del
Renacimiento en Navarra fue esta sillería.
A grandes rasgos podemos dividir la sillería
pamplonesa en tres registros iconográficos:
una zona inferior pagana, una zona terrena y
una zona celestial en la parte superior.

SIGLO XIX

SIGLO XX

Planta 3

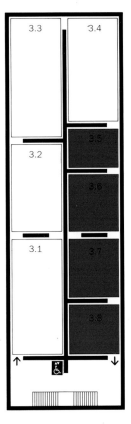

Sala 3.5
FRANCISCO DE GOYA
Siglo XIX

Sala 3.6
PINTURA NAVARRA
Siglo XIX

Sala 3.7
PINTURA NAVARRA
Siglo XIX

Sala 3.8
PINTURA NAVARRA
Siglo XIX

Planta 4

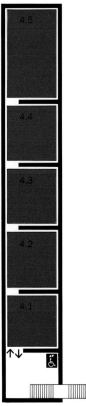

Sala 4.1
PINTURA NAVARRA
Siglo XX

Sala 4.2
PINTURA NAVARRA
Siglo XX

Sala 4.3
PINTURA NAVARRA
Siglo XX

Sala 4.4
PINTURA NAVARRA
Siglo XX

Sala 4.5
PINTURA NAVARRA
Siglo XX

SIGLOS XIX Y XX

M.ª DEL MAR LOZANO BARTOLOZZI

EL MUSEO DE NAVARRA contiene una colección de obras, todavía incompleta, de pintores y escultores del siglo XIX y XX, oriundos o afincados en la región. Si bien hay que destacar que el paso del período moderno al contemporáneo está marcado por la obra de un artista que no se encuentra ni en un caso ni en otro, pero que es protagonista excepcional de la historia del arte: el refinado retrato del Marqués de San Adrián encargado desde Navarra a Francisco de Goya.

Ya sabemos que aún es deficiente el conocimiento del arte navarro de los siglos citados, siendo sin embargo hoy día tan abundante el interés por las manifestaciones decimonónicas y contemporáneas. Es verdad que, en cuanto a lo que se refiere al XIX, el panorama no es muy rico, pues los artistas más destacados desarrollan su actividad fundamentalmente fuera y sin formar escuelas en la región: Salustiano Asenjo en Valencia, García Asarta en Bilbao, Nicolás Esparza en Sestao, si bien todos ellos mantuvieron relaciones, de clientela e iconografía, con Navarra.

Son pintores post-románticos con una estética que buscaba elementos pintorescos y folklóricos y que conecta plenamente con una sociedad conservadora y tradicional que a su vez se recrea en la práctica del retrato, así como de temas de historia y retórica oficialista, pues no en vano participaron en la actividad de las academias y se pusieron en la palestra de las Exposiciones Nacionales; o de géneros, tan abundantes que recibieron después irónicos marbetes, como el de monaguillismo, de cuya práctica es ejemplo Eduardo Carceller, pintor también de cuadros de historia, formado en la Academia de San Fernando.

Cabe citar, en el siglo XIX, sobre todo a Salustiano Asenjo, que, aunque pamplonés, se formó en Valencia estudiando allí Bellas Artes en la Academia de San Carlos, de donde luego será catedrático y director, y tendrá importantes discípulos como los Benlliure, Muñoz Degrain o Sorolla. Mantuvo contactos con su tierra natal haciendo retratos de personajes célebres como Gayarre y Sarasate; se trata de un artista profundamente académico, ingrista, de dibujo apretado, estudiadas luces y modelos clasicistas. Y a Inocencio García Asarta, pintor navarro, que se formó primero en Vitoria y después en Roma y en París donde entrará en contacto con diversos artistas. Sigue una corriente marcada por el naturalismo mezclando un lenguaje realista con ciertos toques abocetados que consigue por una pincelada jugosa y suelta. Mezcla los géneros de historia y mitología, favoritos en su época, con los costumbristas, pero también practica el retrato, sobre todo al establecerse en Bilbao.

Nicolás Esparza realiza una obra más cercana a lo anecdótico e intimista, con escenas domésticas y tiernas, como el cuadro *Ayudando a la lectura*, o escenas infantiles en la escuela, pero también practicó el género de historia con mayor afectación, y el retrato, respondiendo como tantos otros a la demanda de la sociedad burguesa.

Un artista navarro de especial relevancia por su labor socio cultural y pedagógica en su propia tierra, además de pictórica, es Javier Ciga. A caballo entre el siglo XIX y XX, y a pesar de sus contactos con París, prefirió permanecer fiel al lenguaje realista; representa la figura clave del arte regional, y soslayando los estereotipos grandilocuentes anteriores, participa en la corriente nacionalista de la España nostálgica de entonces, tan fomentada por la generación del 98, y por su propia ideología nacionalista vasca, acercándose y cultivando el paisaje y costumbres populares vasco-navarras. Hace uso de su formación académica con buen oficio y de su facilidad comunicativa, y también desarrolla aquélla en su importante labor como pintor de retratos, dentro del realismo decimonónico. Fue asimismo autor de algunos carteles de las Fiestas de San Fermín, ocasión plástica que ha servido para manifestar con altura el arte de varios artistas navarros.

Pintores costumbristas posteriores, serán también, aunque de menor talla que Ciga, Pérez Torres y Julio Briñol, autores de paisajes y tipos populares.

Ya plenamente de nuestro siglo y por su afincamiento en sus últimos años de vida en Estella, hay que considerar en el arte navarro a Gustavo de Maeztu, artista polifacético y pintoresco, de personalidad atractiva, al que se ha calificado de pintor neorromántico por su luces fantasiosas y tonos argentíferos y auríferos envejecidos y misteriosos. Aunque pintor también desigual, son importantes sus logros sobre todo en las realizaciones simbolistas de grandes figuras, y de obras menos interesantes por su excesiva ilustración que llega a veces a lo superficial.

En cuanto a pintores que viven y pintan en Navarra, destaca especialmente la figura de Jesús Basiano, artista de absoluta dedicación a la pintura que dotó de un fresco y saludable clima a la escuela navarra, captando su paisaje ya sin corsés académicos, aunque su preparación fue intensa y rica en Bilbao, Madrid y Roma. Con un sentimiento anímico y visceral, expresado instintivamente, dio lugar a una pintura llena de libertad, luz y color, con resonancias, irisaciones, propias del libreairismo y de una intuición profunda de la capacidad expresiva del cromatismo y su factura. Otro pintor navarro más joven que Basiano es Pedro Lozano de Sotés, formado en Pamplona y Madrid, cartelista y pintor, principalmente dedicado al paisaje, costumbres y folklore vaco-navarro, hechos con mirada y dibujo pulcro y minucioso, y al mismo tiempo enriquecidos por un personal carácter decorativo. E Ignacio Echandi también cultivador del paisaje.

Ricardo Baroja, que desde su casa de Vera de Bidasoa entronca con las querencias navarras. Pintor exquisitamente sensible, de vivas y expresivas escenas de género y melancólicas vistas urbanas o rurales, así como excelente aguafuertista. Enrique Zubiri, buen retratista, fino pintor de paisajes y profesor de varios pintores navarros. Otros nombres destacables cuya obra puede contemplarse en estas salas son Gerardo Lizarraga, Lorenzo Aguirre, Emilio Sánchez Cayuela y José María Ascunce.

Pero el Museo contiene obras de otro estilo no necesariamente naturalista ni caracterizadas por esa mirada intrarregional; así, lenguaje muy distinto, que ya no responde a raíces determinantes, fue el de Julio Martín Caro, interesante pintor neofigurativo, donde el expresionismo y la abstracción se funden con resultado trágico y visceral; en relación con la Action Paintig y sobre todo con Antonio Saura, produce un gestualismo inquietante.

Entre los escultores fallecidos sobresale el roncalés Fructuoso Orduna, cuya obra plástica está marcada por un realismo de tradición greco romana, el vasco Moisés de Huerta, artista académico y fructífero y el ribero Alfredo Sada, trabajador incansable que dejó tras su temprana muerte una importante producción.

En consecuencia, la variedad de obra expuesta indica la existencia de un buen número de artistas que van completándose para que el visitante y el estudioso pueda comprender la trayectoria de la etapa más cercana de nuestro arte navarro.

Francisco de Goya y Lucientes
(Fuentedetodos 1746 - Burdeos 1828)

Retrato del Marqués de San Adrián (1804)

Óleo sobre lienzo

209 x 127 cm

Fecha de ingreso en el Museo: 1966

Esta obra, ejecutada en un momento problemático de su vida, deja ver de forma exponencial el dilema en el que se debate su creador. Frente a la espontaneidad que le caracteriza, fruto de una desbordante inspiración, Goya se inclina por la plasmación de un retrato formalista, de salón, donde la elegancia de las formas y actitudes se impone al espíritu. La influencia inglesa queda patente en esta perfecta combinación de intelectual y caballero. Todo en el personaje denota distinción, aunque no carente de cierto amaneramiento. Técnicamente, la obra deja ver la maestría y madurez del maestro que la crea.

Schegui

Niña velada

Escultura en mármol blanco. Bulto redondo

Altura: 66 cm

Fecha de ingreso en el Museo: 1978

Sobre peana sencilla arranca este busto, a modo de pirámide invertida. De alarde técnico podemos calificar el tratamiento de la transparencia de los velos que, marcando diagonales abatidas por el movimiento, se contraponen a la serena delicadeza del rostro.

Salustiano Asenjo Arozarena
(Pamplona 1834 - Valencia 1897)

David y Betsabé

Óleo sobre lienzo

131 x 89 cm

Siglo XIX (segunda mitad)

Copia del cuadro *Florinda y Don Rodrigo* del pintor Isidoro Lozano (1854). Conocida también como *Don Rodrigo y la Cava*, esta obra, en la que se impone la corrección formal y un meticuloso estudio de luces, se inscribe en la corriente historicista alejada de las posturas vanguardistas del momento.

Inocencio García Asarta
(Gastiáin 1861 - Bilbao 1921)

Retrato del niño Alejandro Olazarán

Óleo sobre tabla

27 x 35 cm

Siglo XIX (1896)

Fecha de ingreso en el Museo: 1970

Gitana

Óleo sobre lienzo

64 x 52,5 cm

Siglo XIX (1892)

Fecha de ingreso en el Museo: 1967

Retrato de niña

Pintura al pastel

45,5 x 60 cm

Siglo XIX (1895)

Inocencio García Asarta
(Gastiáin 1861 - Bilbao 1921)

Retrato de Don Hilario Olazarán

Acuarela

24 x 21,5 cm

Siglo XIX (1896)

Fecha de ingreso en el Museo: 1970

Retrato femenino

Óleo sobre lienzo

46 x 41 cm

Siglo XIX (finales)

Fecha de ingreso en el Museo: 1975

Inocencio García Asarta
(Gastiáin 1861 - Bilbao 1921)

Yunta de bueyes

Óleo sobre lienzo

158 x 235 cm

Siglo XIX (finales)

Firmado en el margen inferior derecho:
"Asarta / 1893 / París". Estilo ecléctico.
Influencias naturalistas, realistas,
impresionistas. Comienza su trayectoria en
Roma y París. Retratista oficial de Bilbao.
   Un fondo de melancolía se desprende de
cada obra de García Asarta. Sus cuadros de
género van más allá de la mera plasmación del
motivo, quedando soterrado el mensaje que
nos retrotrae hasta la Escuela de Barbizon y
Millet. Hay algo de sagrado y místico en ellos,
como en los retratos donde los personajes
hablan a través de cada pincelada, poseyendo
sus miradas una honda penetración a lo que
contribuye la utilización de una paleta sobria
que domina el claroscuro.

Agustín Querol y Subirats
(Tortosa 1860 - Madrid 1909)

Busto en mármol blanco

Altura: 59 cm

Siglo XIX (último tercio)

Fecha de ingreso en el Museo: 1971

Busto de carácter berninesco. Sobre voluta a
modo de proa de barco, arranca la cabeza
gesticulante de un joven, presentada en
escorzo que, junto con el pelo y la colocación
de los pliegues, fomentan la sensación de
movimiento. Aunque adolece de afectación, no
deja de ser una pose fría y académica propia
del momento.

Eduardo Carceller y García
(Valencia 1844 - Pamplona 1925)

Retrato de Alfonso XII
Óleo sobre lienzo
128 x 108 cm
Siglo XIX (1875)
Fecha de ingreso en el Museo: 1996

El monaguillo
Óleo sobre lienzo
39 x 27 cm
Siglo XIX (1871)
Fecha de ingreso en el Museo: 1967

El Rapapobres
Óleo sobre lienzo
45,5 x 36 cm
Siglo XIX (1870)
Fecha de ingreso en el Museo: 1967

Eduardo Carceller estudió en la Real Academia de San Fernando. Desde 1874 residió en Pamplona como profesor de la escuela de Artes y Oficios.

Andrés Larraga
(Valtierra 1860 - Barcelona 1931)

Puerto

Óleo sobre lienzo

70 x 110 cm

Siglo XIX (finales)

Fecha de ingreso en el Museo: 1992

Obra dedicada por el artista a su tierra natal.
En ella capta con maestría el ambiente
húmedo de un puerto.

Anónimo

El pensador

Escultura en alabastro en bulto redondo

Altura: 25,5 cm

Siglo XX (primer tercio)

Fecha de ingreso en el Museo: 1978

Figura infantil sedente, en la que se presume cierto artificio logrado mediante la contraposición de las formas naturales con la expresión y desmesura del rostro.

Anónimo

Venus

Escultura en mármol blanco de Carrara. Bulto redondo

Altura: 82 cm

Siglo XX (primer tercio)

Fecha de ingreso en el Museo: 1978

Escultura clasicista que rememora a la del Museo Nacional de Roma. Diosa saliendo del baño, presenta las características propias del Helenismo, como la nitidez de volúmenes, su gravedad, la pluralidad de los puntos de vista, así como la visualización sesgada en tres cuartos, desapareciendo de este modo la frontalidad.

Nicolás Esparza Pérez
(Tudela 1873 - Sestao 1928)

Guerrero desnudo

Óleo sobre lienzo

84 x 54 cm

Siglo XIX (finales)

Ayudando a la lectura

Óleo sobre lienzo

95 x 77,5 cm

Siglo XIX (1896)

Destaca Esparza en su faceta de agudo retratista. Algunas de sus obras poseen el valor de la instantánea fotográfica, del gesto captado en el momento, pero adoleciendo de la postura forzada a la que nos llevan las formas clasicistas. Así, su Guerrero nos muestra un logrado estudio anatómico pero que posee la frialdad del modelo que posa en el estudio. Distinta es la expresividad de *Ayudando a la lectura,* donde las figuras viven por su naturalidad.

Javier Ciga Echadi (Pamplona, 1878-1960)

Estudio de anciano

Lápiz y carboncillo sobre papel

57 x 46 cm

Siglo XX (1909-1911)

Fecha de ingreso en el Museo: 1986

Pintor de carácter laborioso pero que, debido a su maestría, nos demuestra una gran facilidad en su quehacer como artista. Gran amante del dibujo, éste subyace en todas sus composiciones como previo estudio de la obra. Poseedor de una fina psicología, sabe captar el interior de sus personajes, dotándoles de vida propia, bien sea en el retrato individual o en el conjunto de un cuadro de costumbres. La luz que invade sus composiciones les confiere una grata sensación de vida, de la que gozan tanto sus bodegones, retratos o escenas tipistas.

Baco

Acuarela sobre papel

40 x 28 cm

Siglo XX (1942)

Fecha de ingreso en el Museo: 1986

Javier Ciga Echandi (Pamplona, 1878-1960)

María

Óleo sobre tabla

36,5 x 25,5 cm

Fecha de ingreso en el Museo: 1986

Mademoiselle Yvonne

Óleo sobre tabla

36 x 27,5 cm

Fecha de ingreso en el Museo: 1986

Retrato correspondiente a la época parisina del artista que se ha dejado influir por la pintura de Manet.

El viático en la montaña de Navarra

Óleo sobre lienzo

200 x 270 cm

Siglo XX (1917)

Fecha de ingreso en el Museo: 1977

Escena popular tocada de gran realismo e intensidad emotiva. A caballo entre el Postromanticismo y Realismo.

Javier Ciga Echandi (Pamplona, 1878-1960)

Chacolí

Óleo sobre lienzo

198 x 135,5 cm

Siglo XX (1915)

Fecha de ingreso en el Museo: 1985

Presentado en la Exposición Nacional de Madrid.

Crisantemos

Óleo sobre lienzo

55 x 45,5 cm

Siglo XX (1940-1950)

Fecha de ingreso en el Museo: 1966

Es réplica de otra realizada en su etapa madrileña.

Javier Ciga Echandi (Pamplona, 1878-1960)

El violinista Castillo

Óleo sobre lienzo

113,5 x 72,5 cm

Fecha de ingreso en el Museo: 1985

Gustavo de Maeztu y Whitney
(Vitoria 1887 - Estella 1947)

Ensueño romántico

Óleo sobre lienzo. 117 x 249 cm

Fecha de ingreso en el Museo: 1984

Joven en un jardín

Óleo sobre lienzo

109 x 86 cm

Fecha de ingreso en el Museo: 1988

*Retrato del torero José Sánchez
del Campo (Carancha)*

Óleo sobre cartón

91 x 70 cm

Fecha de ingreso en el Museo: 1986

Artista de gran imaginación; se nos muestra en unos cuadros de fuerte trazo aunque esquemáticos, donde las formas siempre son rotundas y de gran corpulencia, cuyo espíritu llega a entroncar con el expresivismo romántico. Sus personajes son populares, incluso familiares, y su obra alberga un fuerte tipismo; así, desde el guerrero a la maja y desde el torero al personaje alegórico, el pueblo está presente en toda su obra.

Moisés de Huerta (Muriel de Zapardiel,
Valladolid 1881 - Mérida 1962)

Busto de Miguel de Unamuno

Escultura en bronce

Altura: 30 cm

Fecha de ingreso en el Museo: 1979

Busto de noble factura, modelado con
precisión en el que se prescinde de lo
superficial y, mediante los mínimos elementos,
se llega al logro de un perfecto retrato que va
más allá de la mera recopilación de rasgos,
aportando a través de ellos lo que de simbólico
se esconde tras dicha figura.

Fructuoso Orduna
(Roncal 1893 - Pamplona 1973)

Pureza

Escultura en bronce

Altura: 111 cm

Siglo XX (hacia 1920)

Fecha de ingreso en el Museo: 1993

Hermoso desnudo femenino de formas suaves pero a la vez de volúmenes rotundos que recuerda a las esculturas de Rodin.

Fructuoso Orduna
(Roncal 1893 - Pamplona 1973)

Post Nubila Phoebus

Escultura en bronce

175 x 95 x 70 cm

Siglo XX (1921)

Fecha de ingreso en el Museo: 1995

Esta obra mereció la medalla de oro de la
Scción de Escultura de la Exposición Nacional
de Bellas Artes de 1922.

Enrique Zubiri
(Valcarlos 1868 - Pamplona 1943)

Vista de Pamplona

Óleo sobre lienzo

64 x 91 cm

Fecha de ingreso en el Museo: 1989

Pintor de equilibrado dominio técnico que sin alardes supo expresar la fuerza de la materia y la vitalidad de los colores.

Lorenzo Aguirre
(Pamplona 1884 - Madrid 1942)

Mujer de las ligas

Óleo sobre lienzo

87 x 77 cm

Siglo XX (1928)

Fecha de ingreso en el Museo: 1991

Desnudo femenino de gran personalidad y plasticidad, en el que destaca el tratamiento de las carnes que contrasta con los azules del fondo.

Julio Briñol Maíz
(Buenos Aires 1902 - Madrid 1944)

Paisaje castellano

Óleo sobre lienzo

80 x 86 cm

Fecha de ingreso en el Museo: 1985

Retrato del padre del artista como cazador

Óleo sobre lienzo

200 x 100 cm

Siglo XX (1920)

Fecha de ingreso en el Museo: 1993

Pintor de corta vida, supo plasmar su saber hacer, con un gran dominio del dibujo y una poderosa luz que inunda todos sus paisajes. Por su sabiduría formal, su arte adquiere un aire de facilidad, dándonos unos tipos populares en los que la espiritualidad prima sobre el alarde técnico.

Poseedor de una técnica precisa, hará siempre gala de un colorido rico en matices.

Miguel Pérez Torres
(Tudela 1894 - Pamplona 1951)

Retrato femenino

Óleo sobre lienzo

44 x 33 cm

Siglo XX (1917-1918)

Fecha de ingreso en el Museo: 1991

Retrato de Matarratas

Óleo sobre lienzo

45,5 x 41 cm

Fecha de ingreso en el Museo: 1967

Fundamentalmente retratista, a Pérez Torres le interesa la figura humana y de ella el rostro como pantalla externa del ser. De ahí que, al enfrentarse con el lienzo, tras una profunda observación del personaje, su objetivo sea la plasmación del rostro auténtico y real, pues no sólo capta el rasgo externo determinante, sino que busca la clave de la personalidad del retratado.

Ricardo Baroja
(Huelva 1871 - Vera de Bidasoa 1953)

Nido de ametralladora

Óleo sobre tabla

32,5 x 48,5 cm

Siglo XX (1937)

Fecha de ingreso en el Museo: 1990

Exploradores

Óleo sobre tabla

32,5 x 49 cm

Siglo XX (1937)

Pintura firme y sólida bajo la que subyace un aire romántico y poético obtenido por el tratamiento de la luz y el color.

Gerardo Sacristán Torralba
(Logroño 1907 - Pamplona 1964)

Desnudo de mujer

Óleo sobre lienzo

144 x 73 cm

Fecha de ingreso en el Museo: 1989

En busca de un profundo afán de superación, su obra no acababa con el cuadro, sino que toda su producción forma parte de la misma labor. Dotado de una fina apreciación del color, sus obras se ven vivificadas por la luz. Su dominio de la técnica se advierte en la factura de sus obras, así observamos el perfecto modelado del desnudo o su facilidad para la recreación del retrato.

Ignacio Echandi (San Sebastián 1912-1953)

Tierra Estella

Óleo sobre lienzo

60 x 73 cm

Fecha de ingreso en el Museo: 1989

Los paisajes de Echandi son sencillos pero no triviales, en ellos sabe extrapolar el mensaje que la naturaleza le brinda. Mediante una pincelada fina, aplica el color a través de toques puros en los que la luz va fundida como un elemento más que se convierte en protagonista.

Jesús Basiano Martínez
(Murchante 1889 - Pamplona 1966)

Retrato del Sr. Amichis (1958)

Óleo sobre lienzo

37 x 45 cm

Fecha de ingreso en el Museo: 1994

Otoño

Óleo sobre lienzo

91 x 100 cm

Fecha de ingreso en el Museo: 1986

Jesús Basiano Martínez
(Murchante 1889 - Pamplona 1966)

Arcedianato

Óleo sobre lienzo

81,5 x 59 cm

Fecha de ingreso en el Museo: 1971

La obra de Basiano, personal y auténtica, no deja de sorprender ante la diversidad temática y de tratamiento que presenta. Desde aquella que repite los cánones y postulados de Miguel Ángel o Boticelli hasta los paisajes de Navarra, transportados al lienzo con un audaz sentido del color. Sus paisajes expresan los sentimientos que abriga, ya que hay una total identificación con el motivo elegido, utilizando la luz como complemento esencial de su lenguaje pictórico.

Julio Martín Caro
Pamplona 1933 - Madrid 1968)

Apología interna (1965)

Óleo sobre chapacumen

85 x 100 cm

Fecha de ingreso en el Museo: 1963

Retrato de su hermano Enrique (1956)

Óleo sobre lienzo

46 x 62 cm

Fecha de ingreso en el Museo: 1993

Julio Martín Caro
(Pamplona 1933 - Madrid 1968)

El sueño de Tania (1956)

Técnica mixta sobre papel

22 x 16,5 cm

Fecha de ingreso en el Museo: 1993

Martín Caro lucha en sus cuadros por dejar constancia de su mensaje desgarrado, mediante una pintura gestual y dramática que no teme la aproximación a una figuración desintegrada, donde el pincel rasga las formas y el color llameante marca las pautas del mensaje.

Jesús Lasterra
(Madrid 1931 - Pamplona 1994)

Desguace (década de 1960)

Óleo sobre lienzo

87,5 x 105 cm

Fecha de ingreso en el Museo: 1965

Emilio Sánchez Cayuela "Gutxi"
(Pamplona 1907 - 1993)

Retrato de Vázquez Díaz

Óleo sobre lienzo

130 x 79 cm

Fecha de ingreso en el Museo: 1994

La obra de "autxi" se vio directamente marcada por la profunda relación que el artista mantuvo con Vázquez Díaz. Su trabajo, esencialmente como muralista, se desarrolló entre Barcelona, Madrid y Navarra.

José María Ascunce
(Beasain 1923 - Pamplona 1991)

Vista de Estella

Óleo sobre lienzo

135 x 109 cm

Fecha de ingreso en el Museo: 1997

Transcripción al lienzo de un conglomerado urbano en una atmósfera tenebrosa poblada de grises, con un dibujo apretado y exacto. Dominio de la perspectiva.

Mariano Royo Giménez (Pamplona, 1949-1985)

Puesta de sol en Colliure (1984)

Acrílico sobre lienzo

130 x 195 cm

Fecha de ingreso en el Museo: 1984

Para Mariano Royo la pintura es una tarea aventurera, un viaje hacia las hipotéticas y muchas veces inencontrables fronteras del color, la línea, las formas y las expresiones. Pero sobre todo, es a través del color como coordina la sensibilidad que alberga, proyectando su lírico mensaje al espectador.

Lozano de Sotés (Pamplona 1907 - 1985)

Urtasun

Óleo sobre lienzo

79 x 98 cm

Fecha de ingreso en el Museo: 1978

Alfredo Sada (Falces 1950-1992)

Exvoto (1990)

Plomo sobre yeso

70 x 70 x 15 cm

Fecha de ingreso en el Museo: 1994

La apasionada dedicación de Alfredo Sada a la escultura le impulsó a una constante investigación de formas y materiales, marcando una interesante y personal trayectoria que quedó truncada por su prematura muerte.

Sonrisa de plátano

Sobre madera plomo

150 x 35 x 30 cm

Fecha de ingreso en el Museo: 1989

Fachada

Acceso a Prehistoria

Sala 1ª. Sala 4

Sala 2ª. Sala 3b

Sala 3ª. Sala 1b

Esta obra se terminó de imprimir en los talleres de
I.G. Castuera S.A. en Diciembre de 1998